Paris, page à page

Port des Champs Elysées. VIIIe arrondissement.

Couverture, conception de maquette et mise en pages : Etienne Henocq-François Huertas pour HUPPÉ
Photo de couverture : Rémy Buttigieg-Sanna
Plan de Paris : Xavier Hüe

© Les Editions Didier, Paris, 1992

Imprimé en France

ISBN 2-278-04201-7

LECTURES CONTEMPORAINES

Textes choisis et annotés
par Pierre-Edmond ROBERT
Professeur à l'Université de la Sorbonne Nouvelle, Paris III

Paris, page à page

MARCEL JOUHANDEAU
PATRICK MODIANO
MARCEL AYMÉ
RAYMOND QUENEAU
DANIEL BOULANGER
ANDRÉ HARDELLET
ROGER CAILLOIS
JEAN-MARIE LE CLÉZIO
ÉRIC HOLDER

Illustration des textes,
photos de : Rémy BUTTIGIEG-SANNA

HATIER / Didier

Avertissement

Vous étudiez le français à l'école depuis quelques années, ou bien vous l'avez commencé ou recommencé à l'université il y a deux ou trois semestres. En France, vous sauriez commander un café-crème au bar-tabac du coin, parler de la pluie et du beau temps, demander votre chemin, et même parcourir le journal. Mais le français élémentaire a ses limites que vous avez dépassées.

Les extraits littéraires qui accompagnaient vos premiers manuels d'apprentissage ne vous ont peut-être pas convaincus. Il est frustrant de n'avoir que les miettes du gâteau, de ne jamais connaître la fin de l'histoire ou, pire encore, d'avoir l'impression de l'avoir déjà lue, parce que, justement, on peut la lire partout.

Alors, passer tout de suite à la littérature? Celle qui s'aligne sur les rayons des bibliothèques? Vous craignez de vous perdre dans un labyrinthe de titres, où tout paraît difficile, sinon ennuyeux.

Ce livre de *Lectures contemporaines* veut vous prouver que tout peut être plus simple et passionnant aussi. Vous y trouverez des textes plus ou moins courts, plus ou moins longs, dont les plus anciens datent de 1950 et les plus récents de l'année dernière. Ce ne sont pas des extraits, mais des histoires complètes, des versions intégrales. Douze nouvelles en tout, c'est-à-dire à chaque fois un roman réduit en un bref épisode — une rencontre, le plus souvent — ou bien un moment immobilisé, un arrêt sur l'image, comme une parenthèse dans une vie.

Les lire, c'est aussi se promener dans Paris et, page à page, passer d'un quartier à l'autre en compagnie de Marcel Jouhandeau, Patrick Modiano, Raymond Queneau, Daniel Boulanger, André Hardellet, Roger Caillois, Éric Holder, qui, tous, ont sillonné les rues et les boulevards de leur ville, tandis que J.-M. G. Le Clézio évoque une ville anonyme. Promenade efficace aussi : chaque nouvelle nous en dit plus sur l'époque et les gens qu'un long traité bourré de chiffres et de statistiques!

Vous pourrez lire chacun des textes de cette anthologie tel quel. Vous trou-

verez en guise d'introduction une notice sur l'auteur et ses autres publications, sui-
vie de l'amorce d'une piste pour le suivre : chez l'un l'atmosphère générale, chez l'autre
l'humour ou bien le mouvement du récit.

Un simple dictionnaire ou l'aide de votre professeur suffira à vous tirer d'affaire. De plus, les termes inhabituels sont accompagnés en marge de leur synony-
me plus courant, ou, quelquefois, d'une explication. Quand ils n'appartiennent pas
à la langue standard, les indications *vieux, rare, littéraire, familier, populaire, argot,*
ou bien l'appartenance à une langue spécifique (*terme médical, terme d'agriculture, argot militaire*) figurent, de même qu'est soulignée l'intention stylistique : *allitération, figuré, ironique.* Les références historiques et culturelles sont également explicitées.

Enfin, sous la rubrique "En guise de révision" vous trouverez des exercices
qui accompagnent les textes et font en seize unités le tour des difficultés grammati-
cales. Une seconde rubrique, "En relisant le texte", suggère une récapitulation en
mettant l'accent sur les constructions, l'emploi des temps verbaux ou les niveaux
de vocabulaire rencontrés chez chacun des auteurs.

Bonne lecture!

P.-E. R.

Station Monceau. XVIIᵉ arrondissement.

Sommaire

CHOP
1810 — 18

MARCEL JOUHANDEAU

Marcel Jouhandeau est né en 1888 à Guéret, petite ville de la Creuse, à trois cents kilomètres au sud de Paris, et dont il fera, en littérature, Chaminadour (1934-1936, et 1941). Son père y est boucher.

Après le lycée de Guéret, Marcel Jouhandeau suit à Paris les cours du lycée Henri IV et de la Sorbonne. À partir de 1913, et jusqu'en 1949, il est professeur à Saint Jean de Passy, dans le XVIe arrondissement.

Sa première publication est une nouvelle, "Les Pincengrain", parue dans *La Nouvelle Revue Française* d'octobre 1920. Suivent, aux Éditions Gallimard, des romans et chroniques : *Monsieur Godeau intime* (1926), *Prudence Hautechaume* (1927), *Monsieur Godeau marié*, et *Élise* (1933), du nom de sa femme qui apparaît dans *Chroniques maritales* (1938 et 1945) et *Scènes de la vie conjugale* (9 volumes de 1948 à 1959 — partiellement publiés chez Grasset).

Après la guerre, *L'Imposteur* (Grasset, 1950) apporte le succès. Viennent ensuite *Contes d'enfer* (Gallimard, 1955) et le premier tome des *Journaliers*, dont le dernier sera publié en 1982. Marcel Jouhandeau est mort en 1979.

Quelques phrases suffisent à Jouhandeau pour évoquer dans les courts textes de "Propos sans dates" les rencontres de hasard. Les personnages se présentent d'eux-mêmes : un accordeur de piano un peu excentrique, deux femmes dans un autobus qui parlent des aventures d'une troisième, un clochard dans le métro et un autre voyageur. Chacun communique en peu de mots, bouts de dialogues interrompus, l'essentiel de sa vie.

L'ACCORDEUR *

accordeur :
personne qui accorde
les pianos, les orgues

L'accordeur parle à ses notes qu'il répare, comme s'il était seul avec elles : "Ma belle, tu es fausse. — Ah! toi, tu es sauvée. — Ut, ut, ut, que tu me donnes de peine!" Je lui dis : "Ainsi, je ne suis pas seul à parler seul!" Il me répond : "C'est que moi, je ne suis pas seul, il y a mes notes et elles vivent et elles m'entendent, puisqu'elles me répondent ou m'interrogent et je les sens si bien palpiter sous mon doigt et si, souvent, ce que je leur dis a l'air inutile, non; c'est que ce n'est pas surtout à elles que je parle, c'est à ma mémoire. Je lui confie quelque chose qu'elle doit retenir expressément et si je ne lui parlais pas, elle ne m'entendrait pas si bien et tout serait perdu." Enfin l'orgue est accordé : "Ah!

perle *(figuré)* :
c'est un instrument
magnifique

Monsieur, me dit le vieillard, c'est une perle que vous avez là et vous savez, moi, des instruments comme celui-ci, je ne les oublie pas, quand ils m'ont passé par les mains; je me souviens d'eux, comme d'une vieille connaissance, comme d'un ami qui m'a fait du bien, qui m'a dit quelque chose que lui seul pouvait me dire de cette manière et s'il lui arrivait du mal, j'en aurais du chagrin, aussi soignez-le bien, enveloppez-le l'hiver. Ouvrez-le l'été et tirez toujours votre expression. Il y a si peu de choses en ce monde qui soient parfaites."

Deux femmes se sont assises devant moi dans l'autobus : l'une parle d'une amie "aussi fidèle en amitié qu'incons-

   * *Un monde*, Editions Gallimard, 1950.

tante en amour. Aucun homme ne l'a fixée : elle en est à son quatrième mariage. Des trois premiers, elle a fait mourir l'un de chagrin qui lui a laissé sa fortune, et elle a quitté les deux autres qui l'ont comblée, gorgée de richesses à son départ, pour devenir la femme d'un quatrième encore plus opulent que les trois premiers. Si elle s'était mal conduite en somme, elle ne se serait pas conduite autrement et quand on la connaît, on sait qu'elle est incapable du plus petit calcul, aussi bien que d'ambition". L'autre qui s'aperçoit qu'on parle surtout pour que j'entende : "Je te demande pardon, ma chère, mais je ne t'écoute pas. Je cherche le 26 de l'avenue Rapp. C'est là que je suis née, il y a bien longtemps, j'y ai passé mon enfance et voilà bien vingt ans que je ne suis pas revenue là!"

opulent : riche

Rapp : avenue du VIIe arrondissement

Ce matin, à sept heures et demie, dans le métro, un clochard se réveille pour me demander l'heure et comme je vais croire à son air qu'il s'est mis en retard, il proteste : "Oh! non, moi, je ne dépends de personne." Bien que nous lisions deux journaux de tendances opposées, un ouvrier en cotte bleue me sourit : "Ce n'est pas comme nous."

clochard : un vagabond

tendances : opinions (politiques)

cotte : vêtement de travail

Marcel JOUHANDEAU

Boulogne.

LE PRÉSENT DE L'INDICATIF, LE FUTUR, LE FUTUR ANTÉRIEUR

Mettre les verbes entre parenthèses à la forme qui convient :

I. SI/PRÉSENT/FUTUR

1. Si elle (pouvoir) ------- , elle (venir) ------- de bonne heure.
2. Si je (avoir) ------- le temps, je (jouer) ------- au tennis cet après-midi.
3. Je vous (voir) ------- tout à l'heure, si vous (vouloir) ------- bien.
4. Nous vous (appeler) -------, si nous (avoir) ------- du nouveau.
5. S'il (pleuvoir) -------, nous (prendre) ------- un taxi.

II. QUAND/DÈS QUE/AUSSITÔT QUE/FUTUR/FUTUR

1. Quand vous (partir) -------, vous (éteindre) ------- la lumière.
2. Quand il (revenir) -------, nous lui en (parler) ------- .
3. Nous vous (écrire) -------, dès que nous (recevoir) ------- votre chèque.
4. Tu me (faire) ------- un signe, quand tu (être) ------- prêt.
5. On vous (servir) -------, aussitôt qu'on le (pouvoir) ------- .

III. QUAND/DÈS QUE/AUSSITÔT QUE/FUTUR/FUTUR ANTÉRIEUR

1. Quand tu (lire) ------- ce livre, tu me le (prêter) ------- .
2. Je vous (téléphoner) -------, dès que je (arriver) ------- .
3. Vous nous (manquer) -------, quand vous (partir) ------- .
4. Aussitôt qu'il (finir) ------- ses cours, il (prendre) ------- des vacances.
5. Quand il (dîner) -------, il nous (rejoindre) ------- .

IMPÉRATIF, EXCLAMATION, INTERROGATION, NÉGATION

I. Reconstruire les phrases suivantes à l'impératif :

Exemple : Veux-tu m'écouter?
Ecoute-moi!

1. Pouvez-vous m'ouvrir la porte?
2. Tu te dépêcheras pour rentrer à la maison.
3. Veux-tu faire attention?
4. Nous irons ensemble au cinéma.
5. Tu leur dis bonjour de ma part.

II. Remplacer les tirets par l'adjectif interrogatif (quel) ou le pronom interrogatif (qui, que, quoi, lequel) convenable :

1. ------- restaurant avez-vous choisi?
2. ------- sont ces gens-là?
3. ------- est votre plat favori?
4. Avec ------- partez-vous en vacances?
5. À ------- as-tu dit ça?
6. ------- voulez-vous dire?
7. Chez ------- as-tu passé la soirée?
8. Glace à la fraise ou glace à la vanille, ------- préférez-vous?
9. Par ------- avez-vous appris la nouvelle?
10. ------- de neuf?

III. Transformer les phrases suivantes en phrases exclamatives en employant qu'est-ce que *(familier)* **puis comme** *(standard)* :

1. Nous avons eu peur.
2. Elle est gentille.
3. Tu es têtu.
4. Il fait chaud.
5. Il est tard.

IV. Répondre par la négative aux questions suivantes :

1. As-tu téléphoné à quelqu'un ce matin?
2. Avez-vous beaucoup regardé la télévision cette semaine?
3. Êtes-vous déjà prêt?
4. Vous levez-vous toujours de bonne heure?
5. Fumez-vous toujours autant?

EN RELISANT LE TEXTE

Faire la liste des exclamations contenues dans le texte de Marcel Jouhandeau; les comparer.

Boulevard Raspail. VIe arrondissement.

PATRICK MODIANO

Patrick Modiano, né en 1945, a choisi comme décor privilégié de ses romans la France de l'occupation allemande, de 1940 à 1944. Dans *Livret de famille*, paru en 1976, Modiano affirme : " ma mémoire précédait ma naissance. J'étais sûr, par exemple, d'avoir vécu dans le Paris de l'Occupation". Son premier roman, La *Place de l'Etoile* (1968), met en scène le monde de cette époque trouble, tout comme les suivants : *La Ronde de nuit* (1969), *les Boulevards de ceinture* (1972), *Rue des boutiques obscures*, qui reçut le prix Goncourt 1978. Le même regard tourné vers le passé explore les souvenirs de *Villa triste* (1975), *Une Jeunesse* (1980), *Memory Lane* (1983).

Fleurs de ruine est un récit qui s'achève en 1990, c'est-à-dire quelques mois avant sa parution en 1991. Son narrateur a l'âge de Modiano, mais ses souvenirs le ramènent aux années de la guerre et même jusqu'à un fait divers que racontent les journaux de 1933.

"Johnny" et "La Seine" sont deux nouvelles de Modiano qui, dans une première version, ont été publiées dans *La Nouvelle Revue Française* (le 1er août 1978 pour la première et le 1er juin 1981 pour la seconde). Ces deux textes évoquent en quelques pages l'époque immobile et provisoire qui, à Paris, a suivi l'armistice de 1940. Il s'agit du Paris des beaux quartiers, à l'ouest de la capitale, mais un Paris aux avenues désertes, bordées d'immeubles dont beaucoup d'habitants sont partis, tandis que d'autres, à l'identité incertaine, semblent n'être que de passage…

JOHNNY

Général Balfourier :
avenue du XVIᵉ arrdt

faisait le ménage :
nettoyait l'appartement

Chaque fois que je pense à Johnny, c'est dans l'appartement de sa grand-mère, avenue du Général Balfourier, que je le vois. En l'absence de celle-ci, quelqu'un faisait le ménage régulièrement puisqu'il n'y avait aucune poussière sur les meubles et que les parquets brillaient si fort que Johnny, intimidé, marchait sur la pointe des pieds.

À la fin de l'après-midi, le soleil dessinait un grand rectangle d'un jaune de sable, au milieu du tapis. La lumière baignait les rayonnages de la bibliothèque et les murs d'une gaze, comme les housses qui recouvrent les meubles des appartements désaffectés. Assis sur le divan, Johnny étendait la jambe, et la chaussure de son pied droit atteignait en son centre la tache lumineuse du tapis. Il contemplait, immobile, le reflet du soleil sur le cuir noir de cette chaussure et bientôt il avait l'impression qu'elle n'était plus reliée à son corps. Une chaussure abandonnée pour l'éternité au milieu d'un rectangle de lumière. La nuit tombait peu à peu. On avait coupé l'électricité et à mesure que la pénombre envahissait l'appartement, il éprouvait une angoisse de plus en plus lourde. Pourquoi était-il resté à Paris, tout seul? Oui, pourquoi? Sans doute, l'engourdissement et la paralysie des mauvais rêves, à l'instant de fuir un danger ou de prendre un train...

Et pourtant, à Paris, cet été-là, il faisait beau et Johnny avait eu vingt-deux ans. Son vrai prénom était Kurt mais,

depuis longtemps, on l'appelait Johnny à cause de sa res-
semblance avec Johnny Weissmuller, un sportif et une
vedette de cinéma qu'il admirait. Johnny était surtout
doué pour le ski dont il avait appris les finesses en compagnie
des moniteurs de San-Anton, quand sa grand-mère et lui
vivaient encore en Autriche. Il voulait devenir skieur professionnel.

Johnny Weissmuller :
champion de natation ;
il a été Tarzan au cinéma
(1904-1984)

Il avait même cru qu'il marchait sur les traces de
Weissmuller le jour où on lui proposa un rôle de figuration
dans un film de montagne. Quelque temps après le tour-
nage, sa grand-mère et lui avaient fui l'Autriche, à cause de
l'Anschluss.

figuration :
rôle secondaire

Maintenant, chaque soir, vers huit heures et demie, il
quittait l'appartement vide de sa grand-mère et prenait le
métro jusqu'à "Passy". Là, on arrivait dans la petite gare d'une
station thermale ou au terminus d'un funiculaire. Par les
escaliers, il gagnait l'un des immeubles en contrebas,
proches du square de l'Alboni, dans cette zone étagée de Passy
qui évoque Monte-Carlo.

Anschluss :
rattachement de l'Autriche
à l'Allemagne en 1938

funiculaire :
petit chemin de fer
de montagne, fonctionnant
à l'aide d'un câble

Au sommet de l'un de ces immeubles, habitait une femme
de quinze ans son aînée, une certaine Arlette d'Alwyn
dont il avait fait connaissance à la terrasse d'un café de l'avenue Delessert au mois d'avril de cette année.

Elle lui avait expliqué qu'elle était mariée à un officier
aviateur dont elle ne recevait plus de nouvelles depuis le début
de la guerre. Elle pensait qu'il était en Syrie ou à Londres.
Au bord de la table de nuit, bien en évidence, la photo encadrée de cuir grenat d'un bel homme brun aux moustaches

fines, vêtu d'une combinaison d'aviateur. Mais cette photo semblait une photo de cinéma. Et pourquoi son seul nom, Arlette d'Alwyn, était-il gravé sur une plaque de cuivre, à la porte de l'appartement?

Elle lui confia une clé de chez elle, et le soir, quand il entrait au salon, elle était allongée sur le divan, nue dans un peignoir. Elle écoutait un disque. C'était une blonde aux yeux verts et à la peau très douce et bien qu'elle eût quinze ans de plus que lui, elle paraissait aussi jeune que Johnny, avec quelque chose de rêveur et de vaporeux. Mais elle avait du tempérament.

Elle lui fixait rendez-vous vers neuf heures du soir. Elle n'était pas libre pendant la journée et il devait quitter l'appartement très tôt le matin. Il aurait bien voulu savoir à quoi elle occupait son temps, mais elle éludait les questions. Un soir, il était arrivé quelques instants avant elle et il avait fouillé au hasard le tiroir d'une commode où il trouva un reçu du crédit municipal de la rue Pierre-Charron. Il apprit ainsi qu'elle avait mis en gage une bague, des boucles d'oreilles, un clip et, pour la première fois, il sentit un léger parfum de naufrage dans cet appartement, un peu comme dans celui de sa grand-mère. Était-ce l'odeur opiacée qui imprégnait les meubles, le lit, le pick-up, les étagères vides et la photo du prétendu aviateur, entourée de cuir grenat?

Pour lui aussi, la situation était difficile. Il n'avait pas quitté Paris depuis deux ans, depuis ce mois de mai quarante où il avait accompagné sa grand-mère à Saint-Nazaire. Elle avait pris le dernier bateau à destination des

éludait : évitait

crédit municipal : bureau de prêt sur gage

clip : bijou monté sur une pince à ressort

opiacée : d'opium

pick-up *(vieux)* **:** tourne-disque

quarante : 1940

États-Unis en essayant de le persuader de partir avec elle. Leur visa était en règle. Il lui avait dit qu'il préférait rester en France et qu'il ne risquait rien. Avant l'heure de l'embarquement, ils s'étaient assis tous les deux sur l'un des bancs du petit square, près du quai.

À Paris, il avait rôdé autour des studios de cinéma en sollicitant un emploi de figurant mais il fallait une carte professionnelle et on la refusait aux juifs, à plus forte raison aux juifs étrangers comme lui. Il était allé voir au Racing-Club si l'on avait besoin d'un professeur de gymnastique. Peine perdue. Il projetait de passer l'hiver dans une station de ski où il pourrait peut-être obtenir un poste de moniteur. Mais comment gagner la zone libre?

peine perdue : en vain

Il lut par hasard une petite annonce : on cherchait des mannequins pour les chapeaux Morreton. On l'embaucha. Il posait dans un studio du boulevard Delessert et ce fut à la porte de ce lieu de travail qu'il rencontra Arlette d'Alwyn. On le photographiait de face, de profil, de trois quarts, coiffé chaque fois d'un chapeau Morreton différent de forme ou de couleur. Un tel travail exige ce que le photographe appelait une "gueule" car le chapeau accentue les défauts du visage. Il faut avoir le nez droit, le menton bien dessiné, et une belle arcade sourcilière -toutes qualités qui étaient les siennes. Cela avait duré un mois et on l'avait congédié.

zone libre : zone qui ne fut occupée par les Allemands qu'à partir de novembre 1942

gueule *(familier)* : un beau visage

Alors, il vendit quelques meubles de l'appartement qu'il avait habité avec sa grand-mère, avenue du Général-Balfourier. Il traversait des moments de cafard et d'inquié-

cafard : dépression

tude. On ne pouvait rien faire de bon dans cette ville. On y était piégé. Au fond, il aurait dû partir pour l'Amérique.

Les premiers temps, pour garder le moral, il décida de se plier à une discipline sportive, comme il en avait l'habitude. Chaque matin, il se rendait à la piscine Deligny ou bien à Joinville, sur les planches de la plage Bérétrot. Il nageait pendant une heure le crawl et la brasse papillon. Mais bientôt, il se sentit si seul parmi ces femmes et ces hommes indifférents qui prenaient des bains de soleil, ou traversaient la Marne en pédalo qu'il renonça à la piscine Deligny et à Joinville.

Il restait prostré, avenue du Général-Balfourier et, à huit heures, il allait retrouver Arlette d'Alwyn.

Pourquoi, certains soirs, retardait-il l'instant de partir? Il serait volontiers demeuré tout seul dans l'appartement vide aux volets fermés. Autrefois, sa grand-mère lui reprochait gentiment d'être distrait et taciturne, de ne pas "savoir vivre" ni prendre soin de lui-même et, par exemple, de sortir toujours sans manteau sous la pluie ou sous la neige : "en taille", comme elle disait. Mais maintenant c'était trop tard pour se corriger. Un jour, il n'avait pas eu la force de quitter l'avenue du Général-Balfourier. Le lendemain soir, il s'était présenté chez Arlette d'Alwyn, hirsute, mal rasé, et elle lui avait dit qu'elle avait été inquiète et qu'un jeune homme beau et distingué comme lui n'avait pas le droit de se négliger.

L'air était si chaud et la nuit si claire qu'ils laissaient les fenêtres ouvertes. Ils disposaient les coussins de velours du

piégé :
pris dans un piège

"en taille" *(rare)* **:**
sans manteau

hirsute :
sans s'être coiffé

divan au milieu de la petite terrasse et ils y restaient très tard, allongés. Au dernier étage d'un immeuble voisin, sur une terrasse comme la leur, se tenaient quelques personnes dont ils entendaient les rires.

Johnny caressait toujours son idée de sports d'hiver. Arlette connaissait très peu la montagne. Elle était allée une fois à Sestrières et elle en gardait un bon souvenir. Pourquoi ne pas y retourner ensemble? Johnny, lui, pensait à la Suisse.

Une autre fois, le soir était doux et il décida de ne pas descendre à la station "Passy" comme à son habitude, mais à "Trocadéro". Il irait à pied par les jardins et le quai de Passy jusque chez Arlette.

Il arrivait en haut de l'escalier du métro et il vit un cordon de policiers en faction sur le trottoir. On lui demanda ses papiers. Il n'en avait pas. On le poussa dans le panier à salade, un peu plus loin, où se trouvaient déjà une dizaine d'ombres.

C'était l'une des rafles qui, depuis quelques mois, précédaient régulièrement les convois vers l'Est.

Patrick MODIANO

cordon de policiers : une file de policiers

en faction : postés

panier à salade *(familier) :* camion destiné au transport des prisonniers

rafles : arrestations en masse

L'IMPARFAIT DE L'INDICATIF, LE PASSÉ COMPOSÉ

I. Relever les imparfaits contenus dans le deuxième paragraphe du texte de Patrick Modiano, "Johnny"; préciser leur valeur.

II. Mettre les verbes entre parenthèses à l'imparfait :

1. La semaine dernière vous (paraître) ------- inquiet; on (voir) -------

que ça n'(aller) ------- pas bien.

2. À cette époque-là, nous (parler) ------- à peine français et nous (craindre) -------

d'avoir à demander notre chemin quand nous (se perdre) -------

dans les couloirs du métro.

3. Pendant les vacances nous (faire) ------- la grasse matinée;

ensuite nous (déjeuner) ------- sur la terrasse et nous (prendre) ------- des bains

de soleil.

4. Quand il (habiter) ------- le XVIe arrondissement il (se rendre) -------

à son bureau à pied.

**III. Mettre les verbes entre parenthèses à l'imparfait
ou au passé composé, selon le cas :**

1. Hier nous (passer) ------- la journée dans les magasins;

    nous (acheter) ------- toutes sortes de choses.

2. Lundi dernier je (devoir) ------- me lever de bonne heure

    car je (avoir) ------- du travail à terminer avant d'aller au bureau.

3. L'hiver dernier il (pleuvoir) ------- tout le temps et il (neiger) ------- aussi.

4. Ce matin, notre nouvelle secrétaire (arriver) ------- en retard;

    il y (avoir) ------- une grève dans les transports en commun.

5. Cela fait trois jours que les travaux (commencer) ------- chez nous;

    ce (n'être pas) ------- trop tôt!

6. Au moment où nous (aller) ------- sortir, il (se mettre) ------- à pleuvoir.

7. Quand nous (arriver) ------- enfin chez eux, ils (finir) ------- de dîner.

Boulevard de Vaugirard. XVᵉ arrondissement.

LA SEINE

À Boulogne, quai du Point-du-Jour, un rayon de soleil éclairait le pan de mur d'un petit immeuble où était écrit en caractères bleus à moitié effacés : Blache. J'ai questionné le patron du café voisin. Ce Blache tenait un atelier de réparations de cycles au fond de la cour et il était mort depuis longtemps. Sa fille, elle, était partie très jeune vivre sa vie.

J'ai pensé à la "comtesse", la mère de Bijou. En fouillant dans un tiroir, Cours Albert-Ier, j'avais découvert une carte d'identité au nom de "Blache Odette". Sur la photo, je reconnaissais bien la "comtesse". Et par une coïncidence, comme il s'en produit quelquefois pour récompenser ceux qui cherchent vainement le tracé d'un chemin perdu, quatre feuillets de papier-pelure étaient tombés un peu plus tard entre mes mains grâce à la gentillesse d'un secrétaire de la Préfecture de Police auquel j'avais demandé, à tout hasard, s'il n'y avait rien, là-bas, au nom de "Blache".

papier-pelure : papier très fin

Les feuillets contenaient une liste de noms tapés à la machine : une rafle, faite de nuit il y a longtemps dans les bastringues, du côté de la passerelle de Charenton, là où la Seine et la Marne se rejoignent.

rafle : arrestations en masse
bastringues : bals populaires

Et parmi ces noms, j'ai lu : Blache, Odette, dix-huit ans, 23 ^{bis} quai du Point-du-Jour, Boulogne.

Le Cours Albert-Ier. Et l'ancien atelier de ce Blache à Boulogne sur le quai. En aval du fleuve, l'île de Puteaux, près de laquelle la grosse Madeleine-Louis avait amarré sa péniche. Et de l'autre côté, à l'est, la passerelle de Charenton.

La Seine passe par tous ces endroits, la Seine couleur des yeux de Bijou...

Je fréquentais alors un cours d'art dramatique. De tous les élèves de ce Cours Marivaux, aucun n'a fait carrière dans le spectacle, sauf le petit gros que nous appelions "Bouboule". On le voit souvent à la télévision et sur les scènes des théâtres. Il ne lui reste plus beaucoup de cheveux mais son visage n'a pas changé : le même Bouboule que celui que j'ai connu.

C'est toujours sur un fond d'hiver et de nuit que je me souviens du Cours Marivaux. J'avais dix-huit ans et j'assistais trois fois par semaine aux "séances d'ensemble", selon l'expression de notre professeur, une ancienne sociétaire de la Comédie-Française, qui avait décidé, au terme d'une carrière de tragédienne et de grande amoureuse, de dépenser son énergie et d'assouvir un goût resté vif des contacts humains en créant, dans son rez-de-chaussée proche de l'Étoile, le Cours Marivaux, "antichambre du théâtre et du cinéma, du music-hall et du cabaret", comme l'annonçait le prospectus.

sociétaire : membre

Sur ce fond d'hiver et de nuit, je revois nos "séances d'ensemble", de vingt heures à vingt-deux heures trente. À la sortie du cours, nous bavardions un peu avant de nous perdre, Bouboule, moi et les autres, dans le black-out. J'ai de la peine à me rappeler leurs noms et leurs visages à tous. Seuls demeurent dans ma mémoire, Bouboule et Sonia

black-out : obscurité imposée par la défense passive pendant la guerre

O'Dauyé.

Elle fut la vedette du Cours Marivaux. Elle n'avait participé que deux ou trois fois aux "séances d'ensemble" car elle prenait des cours particuliers avec notre professeur, luxe qu'aucun de nous ne pouvait se permettre. Une blonde au visage étroit et aux yeux très clairs. Tout de suite, elle nous intrigua. En dépit de ses vingt-trois ans, elle avait certainement dix ou quinze ans de plus que nous. Elle disait appartenir à une famille de l'aristocratie polonaise et à notre grande surprise, elle n'était pas au Cours depuis un mois que l'on parlait d'elle dans les deux ou trois magazines de ce temps-là. Elle ferait prochainement — disait-on — "ses débuts au théâtre".

Notre professeur nous répondait de manière évasive quand nous lui posions des questions au sujet des "débuts" prometteurs de la "comtesse" — ainsi l'avions-nous surnommée. Mais Bouboule, plus dégourdi que nous autres et qui fréquentait déjà le monde des coulisses, des studios et des boîtes de nuit, nous expliqua que la "comtesse" habitait Cours Albert-Ier un somptueux appartement. Bouboule flairait quelque chose de louche là-dedans : à coup sûr, on entretenait la "comtesse"... Sinon, d'où venait l'argent que la "comtesse" dépensait à profusion chez les couturiers et les bijoutiers ? D'après Bouboule, elle réservait des tables d'une dizaine de couverts à la Tour d'Argent, invitait un peu n'importe qui, offrait des cadeaux, et certains n'y résistaient pas. Lui, Bouboule, aurait bien aimé faire partie de la bande de la "comtesse".

Mais tout cela ne compterait guère plus aujourd'hui

louche : suspect

Tour d'Argent : restaurant de luxe dans le Ve arrdt.

qu'une couronne de fleurs fanées, sur le couvercle d'une poubelle, s'il n'y avait pas eu la petite Bijou.

Je l'ai connue le jour du concours annuel. Notre professeur avait aménagé une scène de théâtre dans la pièce la plus spacieuse et la plus haute de son appartement et parmi une cinquantaine de spectateurs, un jury siégeait, composé de quelques personnalités du monde des arts et du spectacle.

J'étais un élève de trop fraîche date pour participer à cette cérémonie et par timidité, je ne me rendis rue Beaujon qu'après le concours. Dans la "salle de théâtre", Bouboule et quelques camarades poursuivaient une discussion animée.

— C'est la "comtesse" qui a eu le premier prix de tragédie, me dit Bouboule. Moi, ils m'ont donné un accessit de music-hall.

Je le félicitai.

— Elle avait choisi la scène de la mort de *La Dame aux Camélias*, mais elle ne savait pas son texte.

Il se pencha vers moi.

— Tout ça était arrangé depuis le début... Des combines, mon vieux... La "comtesse" a dû distribuer des enveloppes au jury et à Mme Sans-Gêne...

Mme Sans-Gêne, c'était notre professeur. Elle avait brillé dans ce rôle, jadis.

— Figure-toi que des photographes sont venus spécialement pour la "comtesse". Elle s'est fait interviewer... Une vedette quoi... Elle a dû tous les payer très cher...

C'est alors que je remarquai, tout au fond de la salle, sur l'un des sièges de velours rouge, une petite fille

accessit : distinction qui vient après les premiers prix

La Dame aux Camélias : pièce d'Alexandre Dumas fils (1852)

combines *(populaire)* **:** arrangements secrets et malhonnêtes
Madame Sans-Gêne : pièce de Victorien Sardou (1893)

endormie.

— Qui est-ce? demandai-je à Bouboule.

— La fille de la "comtesse"... Elle n'a pas l'air de s'en occuper beaucoup... Elle me l'a confiée pour l'après-midi... Seulement, moi, ça ne m'arrange pas... Je dois passer une audition... Tu ne voudrais pas t'en occuper, toi?

— Si tu veux.

— Tu la balades un peu et tu la ramènes chez la comtesse, 24 Cours Albert-Ier.

— D'accord.

— Je file. Tu te rends compte? On va peut-être m'engager dans un cabaret...

Il était très agité et suait à grosses gouttes.

— Bonne chance, Bouboule.

Il ne restait plus dans la salle de théâtre que cette petite fille endormie et moi. Je m'approchai d'elle. Sa joue était appuyée au dossier du fauteuil, sa main gauche sur son épaule et le bras replié contre sa poitrine. Les cheveux blonds et bouclés, elle portait un manteau bleu pâle et de grosses chaussures marron. Elle avait six ou sept ans.

Je lui ai tapé doucement sur l'épaule. Elle a ouvert les yeux.

Des yeux clairs, presque gris, comme ceux de la "comtesse".

Il faut qu'on aille se promener.

Elle m'a considéré d'un air étonné et puis elle s'est levée. Je lui ai pris la main et nous sommes sortis tous les deux du Cours Marivaux.

audition : dire quelques répliques, lors de la séance d'essai où le metteur en scène choisit les acteurs

balader : promener

filer : partir

En suivant l'avenue Hoche, nous étions arrivés devant les grilles du Parc Monceau.

— Tu veux qu'on se promène là?

— Oui.

Elle hochait la tête, docile.

Vers la gauche, du côté du boulevard, il y avait des balançoires aux peintures écaillées, un vieux toboggan et un bac à sable en ciment.

— Tu veux jouer?

— Oui.

Personne. Aucun enfant. Le ciel était bas et d'une blancheur d'ouate comme s'il allait neiger. Deux ou trois fois, elle a glissé sur le toboggan et elle m'a demandé d'une voix timide de l'aider à monter sur la balançoire. Elle ne pesait pas bien lourd. Je poussais la balançoire où elle se tenait assise, très raide. De temps en temps, elle me regardait.

— Tu t'appelles comment?

— Martine, mais ma maman m'appelle "Bijou".

Une pelle traînait dans le bac à sable et elle a commencé à faire des pâtés. Assis sur le banc, tout près, j'ai constaté que ses chaussettes étaient de taille et de couleur différentes, l'une vert foncé jusqu'au genou, l'autre bleue dépassant de quelques centimètres de la chaussure marron aux lacets dénoués. La "comtesse" l'avait-elle habillée ce jour-là?

J'ai craint qu'elle ne prenne froid dans le sable et après lui avoir lacé sa chaussure, je l'ai entraînée de l'autre côté du parc. Quelques enfants tournaient sur les chevaux du manège. Elle a choisi de s'asseoir dans l'un des cygnes de

avenue Hoche :
avenue du VIIIe arrdt.

ouate : coton

pâtés : pâtés de sable

manège : attraction de foire où tournent des chevaux de bois.

crissant : grinçant

bois et le manège s'est ébranlé en crissant. Chaque fois qu'elle passait devant moi, elle levait le bras comme pour me saluer, un sourire presque imperceptible aux lèvres, sa main gauche serrant le col du cygne.

Au bout de cinq tours, je lui ai dit que sa maman l'attendait et que nous devions prendre le métro.

— J'aimerais bien rentrer à pied.

— Si tu veux.

Je n'osais pas le lui refuser. Je n'avais pas encore l'âge d'être son père.

rue de Monceau, avenue George-V : rue et avenue du VIIIe arrdt.

Nous avons rejoint la Seine par la rue de Monceau et l'avenue George-V. C'était l'heure où les façades d'immeubles se détachaient encore sur le ciel un peu plus clair, mais bientôt tout se confondrait dans le noir. Il fallait se presser. Comme chaque soir, à cet instant-là, je me laissais envahir par une angoisse diffuse. Elle aussi, puisque je sentais la pression de sa main dans la mienne.

Sur le palier de l'appartement, j'entendais des murmures de conversation et des rires. Une femme brune d'une cinquantaine d'années, aux cheveux courts et au visage carré et énergique de bull-terrier est venue nous ouvrir. Elle m'a jeté un œil soupçonneux.

— Bonjour, Madeleine-Louis, a dit la petite.

— Bonjour, Bijou.

— Je ramène... Bijou, ai-je dit.

— Entrez.

Dans le vestibule, des bouquets de fleurs étaient posés à même le sol, et je distinguais, au fond, par la double porte entrouverte du salon, des groupes de gens.

— Un instant... J'appelle Sonia, m'a dit la femme au visage de bull-terrier.

Nous attendions tous les deux, la petite et moi, parmi les bouquets de fleurs qui jonchaient le vestibule.

joncher : recouvrir le sol

— Il y en a des fleurs..., ai-je dit.

— C'est pour maman.

La "comtesse" est apparue, blonde et rayonnante, dans un tailleur de velours noir aux épaules incrustées de jais.

jais : pierres
(ou verroterie) noires

— C'est gentil de ramener Bijou.

— Voyons... La moindre des choses... Je vous félicite... pour votre premier prix.

— Merci... Merci...

J'étais mal à l'aise. J'avais envie de quitter tout de suite cet appartement.

Elle se tournait vers sa fille.

— Bijou, c'est un grand jour pour ta maman, tu sais...

La petite fixait sur elle des yeux démesurément agrandis. De l'étonnement ou de la peur?

— Bijou, maman a reçu une belle récompense aujourd'hui... Il faut que tu embrasses ta maman...

Mais comme elle ne se penchait pas vers sa fille, celle-ci essayait vainement de l'embrasser en se dressant sur la pointe des pieds. La "comtesse" ne s'en apercevait même pas. Elle contemplait les bouquets, par terre.

— Bijou, tu te rends compte... Toutes ces fleurs... Il y en a tellement que je ne peux pas les mettre dans des vases... Je dois rejoindre mes amis... Et les emmener dîner... Je rentrerai très tard... Est-ce que vous pourriez garder Bijou cette nuit?

Au ton de sa voix, cela ne faisait aucun doute pour elle.

— Si vous voulez, ai-je dit.

— On vous préparera un dîner. Et vous pourrez dormir ici.

Je n'ai pas eu le temps de répondre. Elle se penchait vers Bijou.

— Bonsoir, Bijou chérie... Je dois aller voir mes amis... Pense très fort à ta maman...

Elle lui donna un baiser furtif sur le front.

— Et encore merci à vous, monsieur...

D'une démarche souple, elle rejoignait les autres, là-bas, au salon. Dans le bourdonnement des conversations, je crus reconnaître l'éclat, très aigu, de son rire.

Peu à peu, leurs voix se sont éteintes à mesure qu'ils descendaient l'escalier et je me suis retrouvé seul avec Bijou. Elle m'a guidé jusqu'à la salle à manger et nous nous sommes assis l'un en face de l'autre à une table longue et rectangulaire veinée de faux marbre. Mon siège était une chaise de jardin qu'éclaboussaient des taches de rouille, et celui de Bijou un tabouret rehaussé d'un coussin de velours. Pas d'autres meubles dans cette pièce. La lumière tombait sur nous d'une applique aux ampoules nues.

Un cuisinier chinois nous a servi le dîner.

— Il est gentil? ai-je demandé à Bijou.

— Oui.

faux marbre : où un dessin sinueux imite le marbre

rehaussé : surélevé

applique : lampe fixée au mur

— Comment s'appelle-t-il?

— Tioung.

Elle mangeait son potage avec application, le buste raide. Elle est restée silencieuse pendant tout le repas.

— Est-ce que je peux me lever de table?

— Tu peux.

Elle m'a entraîné jusqu'à sa chambre, une pièce aux boiseries bleues. Pour seuls meubles, un lit d'enfant et, entre les deux fenêtres, une table ronde recouverte d'une nappe de satin sur laquelle était disposée une lampe.

Elle s'est glissée dans un cabinet de toilette contigu et je l'entendais se brosser les dents. À son retour elle portait une chemise de nuit blanche.

— Est-ce que vous pourriez me chercher un verre d'eau, s'il vous plaît?

Elle avait dit cette phrase très vite, comme si elle s'en excusait à l'avance.

— Bien sûr.

J'ai erré à la recherche de la cuisine en m'aidant d'une torche électrique que m'avait tendue Bijou. Je l'imaginais, cette torche trop lourde pour elle à la main, seule, la nuit, au milieu d'ombres qui la terrifiaient. La plupart des pièces étaient vides. Au passage, je faisais de la lumière mais souvent les commutateurs ne marchaient pas. Cet appartement semblait abandonné. Sur les murs, des traces rectilignes indiquaient que des tableaux y avaient jadis été accrochés. Dans une chambre qui devait être celle de la "comtesse", trônait un grand lit aux montants de satin blanc capitonné. Un téléphone par terre, et, autour du lit, des bouquets de roses rouges, un poudrier, une écharpe.

À la table de la cuisine, le Chinois jouait aux cartes en compagnie d'un autre Chinois et d'un roux à la peau blanche.

— Je viens chercher un verre d'eau pour la petite.

Il m'a désigné l'évier. J'ai rempli un verre et jeté un regard vers eux. Éparses sur la toile cirée, des cartes d'alimentation. Elles étaient l'enjeu de leur partie. La porte s'est refermée lentement derrière moi. Le blunt crissait.

De nouveau cette succession de pièces vides où, sans doute, un déménagement hâtif s'était déroulé, il n'y avait pas si longtemps. Vers quel garde-meubles? Et le lit de satin blanc, le canapé solitaire contre un mur, les deux chaises où s'empilaient des mallettes et des sacs de voyage, tout cela évoquait une installation provisoire.

Elle m'attendait dans son lit.

— Vous pouvez me lire quelques pages?

Encore une fois, elle avait l'air de s'excuser et me tendait un livre à la couverture défraîchie : *Le Prisonnier de Zenda*. Curieuse lecture pour une petite fille. Elle m'écoutait, les bras croisés, avec une expression de ravissement dans les yeux.

Le chapitre fini, elle m'a demandé de ne pas éteindre la lampe, ni le lustre de la chambre voisine. Elle avait peur du noir. Je passais la tête entre les battants de la porte pour voir si elle dormait. Et puis j'ai déambulé à travers l'appartement et j'ai fini par trouver un fauteuil de cuir où passer la nuit.

cartes d'alimentation : cartes de rationnement du temps de la guerre
blunt : marque de fermeture automatique de porte

Le prisonnier de Zenda : roman d'aventures d'Anthony Hope (1894) qui se passe dans le pays imaginaire de Ruritanie
ravissement : enchantement

lustre : lampes suspendues au plafond

déambuler : marcher au hasard

Le lendemain, la "comtesse" m'a proposé un poste de précepteur. Ses activités mondaines et artistiques ne lui permettraient plus de s'occuper de Bijou. Alors, elle comptait sur mon aide. Je délaissais sans trop de regrets le Cours Marivaux auquel je m'étais inscrit pour échapper à la solitude. Maintenant que l'on me confiait des responsabilités et que l'on m'accordait le gîte et le couvert, je me sentais beaucoup plus sûr de moi.

J'accompagnais Bijou chez une dame suisse qui dirigeait un cours privé rue Jean-Goujon, l'école Kulm. Bijou semblait être la seule élève de cet établissement et chaque fois que j'allais la chercher, le matin ou l'après-midi, je la retrouvais en compagnie de cette dame, tout au fond d'une salle de classe aussi sombre et silencieuse qu'une chapelle désaffectée. Le reste de la journée se passait au bord de la pelouse du Cours Albert-Ier ou dans les jardins du Trocadéro. Et nous revenions à la maison, par les quais.

Oui, tout cela, l'hiver et la nuit le cerne comme un écrin. Ce n'était pas seulement du noir dont Bijou avait peur mais des ombres que projetaient sur les rideaux la lampe de sa chambre et, à travers l'embrasure de la porte, le lustre de la pièce voisine.

Elle y voyait des mains menaçantes et se blottissait dans son lit. Je la rassurais jusqu'à ce qu'elle s'endorme. J'avais essayé par tous les moyens de dissiper ces ombres.

Le plus simple aurait été d'ouvrir les rideaux mais la lumière de la lampe risquait d'alerter la Défense Passive. Alors, je déplaçais cette lampe, tantôt à droite, tantôt à gauche : les

précepteur : personne qui assure l'enseignement d'un enfant

le gîte et le couvert : le logement et la nourriture

cours privé : établissement scolaire privé

embrasure : ouverture

Défense Passive : organisme chargé de faire respecter les consignes— notamment l'obscurité du couvre-feu—destinées à protéger les villes des bombardements aériens

ombres étaient encore là.

Ma présence l'apaisait. Au bout d'une quinzaine de jours elle avait oublié les mains sur les rideaux et elle s'endormait avant que j'eusse fini de lui lire le chapitre quotidien du *Prisonnier de Zenda*.

Il a beaucoup neigé cet hiver-là et le quartier de Paris où nous habitions, le Cours Albert-Ier, le parvis du musée d'Art Moderne, plus loin les rues en étages au flanc de la colline de Passy, prenaient l'aspect d'une station de l'Engadine. Et du côté de la place de la Concorde, le roi des Belges sur son cheval était blanc comme s'il venait de traverser un blizzard. J'avais découvert au fond de la boutique d'un brocanteur une luge pour Bijou et je l'emmenais glisser dans une allée en pente douce des jardins du Trocadéro. Le soir, quand nous rentrions à la maison par les quais, je tirais la luge sur laquelle Bijou était assise, un peu raide et rêveuse, comme d'habitude. Je m'arrêtais brusquement. Nous faisions semblant de nous être égarés dans une forêt. Cette idée avait le don de l'amuser et le rouge lui montait aux joues.

La "comtesse", vers sept heures du soir, prenait à peine le temps d'embrasser sa fille avant de disparaître vers quelque fête nocturne. La mystérieuse Madeleine-Louis téléphonait pendant des après-midi entiers sans nous prêter beaucoup d'attention. De quelles affaires s'occupait cette femme au visage de boxeur? D'une voix sèche elle fixait des rendez-vous à son "bureau" dont elle indiquait l'adresse : "Arcades du Lido". Apparemment elle exerçait une gran-

le roi des Belges sur son cheval :
la statue représentant Albert Ier, roi des Belges de 1909 à 1914

de emprise sur la "comtesse" qu'elle n'appelait pas Sonia mais "Odette" et je me demandais si ce n'était pas d'elle d'où "venait l'argent" selon l'expression de Bouboule. Habitait-elle Cours Albert-Ier? À plusieurs reprises, il me sembla que Sonia et elle rentraient ensemble à l'aube, mais je crois que Madeleine-Louis dormait souvent à son "bureau"...

Les derniers temps, elle avait fait l'acquisition d'une péniche, amarrée près de l'île de Puteaux et à bord de laquelle, un dimanche, nous lui avons rendu visite, Bijou, la "comtesse" et moi. Elle y avait aménagé un salon, avec des poufs et des divans. Elle portait ce jour-là une casquette de marin et un pantalon, qui lui donnaient l'allure d'un jeune midship obèse et inquiétant.

midship ou midshipman : enseigne de vaisseau dans la marine

Elle nous a servi le thé. Je me souviens que sur l'une des parois en bois de teck, était accrochée dans un cadre rouge, la photo d'une amie à elle, une artiste aux cheveux courts, descendante de Surcouf, et dont les chansons parlaient d'escales, de goélettes blondes et de ports sous la pluie.

Surcouf : Robert Surcouf, célèbre marin français (1773-1827)

Était-ce sous son influence qu'elle avait acheté cette péniche?

À la tombée du soir, Madeleine-Louis et la "comtesse" nous ont laissés dans le salon, Bijou et moi. Je l'ai aidée à faire un puzzle que j'avais choisi moi-même et dont les pièces étaient assez grandes pour qu'elle ne rencontrât pas trop de difficultés.

La Seine était en crue, cet hiver-là, et l'eau venait presque à la hauteur des hublots, une eau douce dont l'odeur de boue et de lilas envahissait le salon.

était en crue : débordait

Nous naviguions tous les deux dans un paysage de marais et de Brière. À mesure que nous remontions le fleuve, j'avais, peu à peu, le même âge qu'elle. Nous passions au large de Boulogne, là où j'étais né, entre le Bois et la Seine.

Brière : région marécageuse de la Bretagne méridionale

Et cet homme d'une trentaine d'années que j'entendais marcher deux ou trois fois par semaine, la nuit, quand j'étais seul avec Bijou... Il possédait une clé de l'appartement et entrait souvent par la porte de service. La première fois, il se présenta à moi comme "Jean Bori", le "frère de Sonia", mais pourquoi ne portait-il pas le même nom qu'elle?

Madeleine-Louis m'avait confié, d'un ton onctueux, que les O'Dauyé — la famille de Sonia — étaient des nobles d'origine irlandaise qui se fixèrent en Pologne au XVIIIᵉ siècle. Au fait pourquoi Sonia s'appelait-elle Odette?

Ce "Jean Bori" frère de Sonia, au fin visage et à la peau grêlée, me semblait plutôt gentil. Quand il ne se faisait pas servir seul par le cuisinier chinois et qu'il venait plus tôt que d'habitude, nous dînions ensemble, Bijou, lui et moi. Il manifestait une tendresse distraite pour la petite. Son père? Il était toujours vêtu d'une manière soignée, avec une épingle de cravate. Où dormait-il, Cours Albert-Iᵉʳ? Dans la chambre de Sonia ou sur quelque canapé perdu au fond de l'appartement?

D'ordinaire, il repartait tard, une enveloppe à la main, et sur cette enveloppe était inscrit "POUR JEAN" de la large écriture de Sonia. Il évitait Madeleine-Louis et nous rendait visite en l'absence de celle-ci.

Une nuit, il avait voulu assister au coucher de la petite et il s'était assis au pied de son lit pour écouter lui aussi le chapitre quotidien du *Prisonnier de Zenda*. Chacun à notre tour, nous avions embrassé Bijou.

Dans la grande pièce désolée qu'on appelait le "salon", le Chinois nous avait servi deux cognacs.

— Odette est vraiment une drôle de fille...

Et après avoir sorti de son portefeuille une photo écornée, il me la tendit.

— Ça, c'était les débuts d'Odette, il y a cinq ans. Elle a été remarquée par un type important au cours de cette soirée... Belle photo, non?

Des tables aux nappes blanches. Et autour de ces tables, une nombreuse assemblée en habits de gala. Un orchestre sur une estrade, tout au fond. La lumière vive des projecteurs éclairait un décor alpestre, composé de trois petits chalets, d'un sapin, de montagnes en carton, recouvertes de neige artificielle, comme les toits des chalets et les branches des sapins. Et face aux dîneurs en smoking et en robes du soir, une trentaine de chasseurs alpins, sur deux rangs, au garde-à-vous, leurs skis aux pieds. Le sol brillait lui aussi de neige artificielle, et je n'osais pas demander à ce Jean Bori si les chasseurs alpins étaient demeurés, sur leurs skis, immobiles, jusqu'à la fin de la soirée, et quel avait été, au juste, le rôle d'Odette. Vendeuse de programmes?

— C'était un gala... La "nuit du ski".

Pour moi, cette neige et cet hiver de pacotille qui avaient marqué les "débuts" d'Odette se confondaient avec

alpestre : des Alpes

chasseurs alpins : corps d'infanterie de montagne

la réalité. Il suffisait de se pencher à la fenêtre et de contempler la neige sur le Cours Albert-Ier.

— Elle vous paye bien, Odette, pour votre travail de gouvernante?

— Oui.

Il avait un air pensif.

— Vous êtes gentil de vous occuper si bien de la petite...

En le raccompagnant jusqu'à la porte je ne pus m'empêcher de lui demander si vraiment, sa sœur et lui, appartenaient à une famille de l'aristocratie irlandaise, émigrée en Pologne au XVIIIe siècle. Il semblait ne pas comprendre.

— Nous, des Polonais? C'est Odette qui dit ça?

canadienne : veste-manteau

Il enfilait sa canadienne.

— Des Polonais, si vous voulez... Mais des Polonais de

Porte-Dorée : faubourg de Paris proche du Bois de Vincennes

la Porte-Dorée...

Son rire résonnait dans l'escalier et je demeurais figé au milieu du vestibule.

J'ai traversé l'appartement désert. Zones d'ombres. Tapis roulés. Empreintes de tableaux et de meubles sur les murs et les parquets nus, comme après une saisie. Et les Chinois jouaient certainement aux cartes dans la cuisine.

Elle dormait, la joue contre l'oreiller. Une enfant qui dort et quelqu'un qui veille sur elle, c'est quand même quelque chose, au milieu du vide.

Tout s'est gâté à cause d'une idée de Madeleine-Louis que Sonia a jugée excellente : Bijou devait travailler "dans le spectacle". Si on la prenait bien en main, elle serait

bientôt l'égale de cette enfant américaine, vedette de cinéma. Sonia semblait avoir renoncé à toute carrière artistique
et je me demande si elle et Madeleine-Louis ne repor-
taient pas sur Bijou leurs espoirs déçus.

J'ai expliqué à la directrice de l'école Kulm, rue Jean-
Goujon, que Bijou n'assisterait plus aux cours. Elle était désolée à la perspective de perdre sa seule élève, et moi aussi, pour
elle et pour Bijou.

rue Jean-Goujon : rue du VIIIe arrdt.

Il fallait lui monter une garde-robe en prévision des photos qu'on enverrait aux maisons de production. On lui confec-
tionna des costumes d'écuyère, de patineuse à la Sonja
Henie, et de petite fille modèle. Sa mère et Madeleine-Louis
l'emmenaient à des séances d'essayages interminables, et,
de la fenêtre, je regardais partir sur la neige du Cours
Albert-Ier, le cabriolet de Sonia, capote noire rabattue.
J'éprouvais un serrement au cœur. La petite était coincée
entre sa mère et Madeleine-Louis et celle-ci faisait claquer
un fouet au-dessus du cheval, à la manière d'un dresseur
de cirque.

cabriolet : voiture décapo-table (ici à cheval)

Moi, j'étais chargé de la conduire à ses cours. Cours de
piano. Cours de danse. Leçons de diction par notre professeur de la rue Beaujon. Séances de pose, chez un photographe de l'avenue d'Iéna, avec ses différents costumes.
Cours d'équitation dans un manège du bois de Boulogne.
Là, au moins, c'était en plein air et elle reprenait des couleurs. Je la vois encore tourner, si petite et si blonde, sur un
cheval gris pommelé qui se confondait avec la neige et le
brouillard matinal.

rue Beaujon : VIIIe arrdt.
avenue d'Iéna : XVIe arrdt.

Elle ne disait pas un mot et montrait la plus grande docilité en dépit de sa fatigue. Un après-midi où Madeleine-Louis et Sonia avaient bien voulu lui accorder un congé, nous sommes allés dans les jardins du Trocadéro et elle s'est endormie sur sa luge.

Bientôt, j'ai dû partir pour le Midi de la France. Paris devenait dangereux et je n'étais même plus sûr de la carte d'identité à son nom que m'avait donnée un ancien camarade de l'école communale. Bijou ne s'appelait pas Bijou, Sonia ne s'appelait pas Sonia, mais moi je ne m'appelais pas Lenormand.

école communale :
école primaire

Je leur ai demandé de me confier Bijou qui serait certainement heureuse dans le Midi. En vain. Elle y tenait, la grosse et dure Madeleine-Louis, à son idée d'en faire une enfant prodige de l'écran. Et Sonia... Elle était si influençable, si évanescente... Et cette manie d'écouter la *Sonate au clair de lune*, le regard vague... Pourtant, je l'ai toujours soupçonnée de cacher, sous ses tulles et ses vapeurs, une robustesse faubourienne.

Sonate au clair de lune :
sonate de Beethoven (1801)

tulle : tissu très léger

vapeurs : malaises

Je suis parti un matin avant que la petite ne se réveille.

À Nice, quelques mois plus tard, j'ai vu une photo d'elle à la page spectacle d'un hebdomadaire. Elle jouait un rôle dans un film qui s'appelait : *Le Carrefour des Passants*. Elle était debout, vêtue de sa chemise de nuit, une torche électrique à la main, le visage un peu amaigri et l'air de chercher quelqu'un, à travers l'appartement désert du Cours Albert-Ier.

Moi, peut-être.

Je n'ai plus jamais eu de ses nouvelles. Tant d'hivers se sont accumulés, depuis, que je n'ose pas les compter.

Bouboule s'en est sorti, lui. Il avait le rebond et la souplesse d'une balle de caoutchouc. Mais elle? Rue Jean-Goujon, l'école Kulm où j'allais la chercher le matin et l'après-midi, n'existe plus. Quand je passe sur le quai, je me souviens de la neige de ce temps-là, qui recouvrait la statue du roi des Belges Albert-Ier, et celle de Simon Bolivar, symétriques, à une centaine de mètres l'une de l'autre. Eux, au moins, n'ont pas bougé, chacun aussi raide sur son cheval et indifférent aux remous que laissent derrière elles, dans l'eau grise, les péniches.

s'en sortir : se tirer d'affaire

Patrick MODIANO

L'IMPARFAIT DE L'INDICATIF, LE PLUS-QUE-PARFAIT, ACCORD DU PARTICIPE PASSÉ, LE PASSÉ SIMPLE

I. Mettre le verbe entre parenthèses au plus-que-parfait :

1. Il (arrêter) ------- de fumer depuis trois mois mais il a accepté une cigarette de son voisin de table.

2. Elle savait de quoi il s'agissait, et pourtant je ne lui (rien dire) ------- .

3. Nous étions inquiets parce que nous ne (recevoir) ------- aucune nouvelle depuis leur départ.

4. Ils jouaient aux cartes dès qu'ils (finir) ------- de dîner.

II. Mettre le verbe entre parenthèses au passé composé en faisant l'accord du participe passé :

1. Cette idée ne me (vient) ------- pas à l'esprit.

2. Elle (s'intéresse) ------- aux toiles de ce peintre.

3. Les gravures qu'elle (achète) ------- sont magnifiques.

4. Quels livres (lis-tu) ------- en vacances?

5. Nous aimons tous les tableaux que cet artiste (peint) ------- .

6. Nous nous (lavons) ------- les mains avant de nous mettre à table.

7. (Mangez-vous) ------- des fraises? — Oui, nous en (mangeons) ------- .

8. Elle (se réveille) ------- trop tard; elle (se dépêche) ------- pour arriver à l'heure.

9. Combien cette écharpe (coûte-t-elle) ------- ?

10. Quelle folle journée (nous passons) ------- !

III. Mettre les verbes entre parenthèses au passé simple :

1. La Gaule conquise, Jules César (prendre) ------- le pouvoir à Rome;

des conjurés l'(assassiner) ------- quelques années après.

2. La signature de la Charte des Nations Unies (avoir) ------- lieu le 26 juin 1945

à San Francisco.

EN RELISANT LE TEXTE

À l'oral le passé composé remplace le passé simple; à l'écrit on choisit entre le passé composé (quelqu'un parle) et le passé simple (on fait un récit). Comparer la place de la personne qui raconte (le locuteur) dans "Johnny" — où le passé simple domine — et "La Seine" — où le passé composé domine.

Quartier Pigalle-Boulevard de Clichy. XVIIIᵉ arrondissement.

MARCEL AYMÉ

Marcel Aymé est né à Joigny dans l'Yonne, où son père était maréchal-ferrant. Après une jeunesse passée dans le Jura, il arrive à Paris en 1923; il y exerce divers métiers : employé de banque, journaliste.

Son premier roman, *Brûlebois*, est publié en 1926, suivi d'*Aller-retour* (1927), *La Table-aux-crevés* (prix Théophraste Renaudot 1929), *La Jument verte* qui, en 1933, lui apporte le succès et, l'année suivante, *Les Contes du chat perché*. Sa production — romans, nouvelles, pièces de théâtre qui forment une chronique humoristique de la vie en France des années vingt aux années soixante — inclut notamment *Travelingue* (1941), *Le Passe-muraille* (1943), *Le chemin des écoliers* (1946), *Uranus* (1948), *Clérambard* (1950), tandis que ses pièces les plus connues sont *Lucienne et le boucher* (1947) et *La Tête des autres* (1952).

Il est mort à Paris en 1967.

"La vamp et le normalien", nouvelle publiée dans *En Arrière* (Gallimard, 1950), est une histoire drôle, quoique morale, et bien dans la manière de Marcel Aymé. Elle se déroule à Montmartre, quartier que l'auteur habitait et où il avait comme voisin, pendant les années de l'occupation allemande, le romancier Louis-Ferdinand Céline. Ici, Marcel Aymé rappelle avec humour la situation difficile de l'immédiat après-guerre. L'arrivée des mots anglo-américains, qu'il transcrit phonétiquement, oppose le monde moderne aux chères vieilles habitudes françaises dont l'auteur se moque en reprenant toutes les expressions populaires — y compris celle qui conclut le texte — qui font la sagesse des nations.

La vamp et le normalien *

rue Caulaincourt :
rue du XVIIIe arrdt.

avenue du Bois :
Avenue Foch, XVIe arrdt.

fisc :
administration des impôts

pot aux roses :
le secret du marché noir
(allusion également au pot
au noir, zone maritime
et aérienne sans visibilité)

coquetèles : cocktails

lessiveuses : récipients des-
tinés à la lessive où on pré-
tendait que les campagnards
cachaient leurs économies

Petits Lits Blancs : bal
en faveur d'une institution
charitable

Kornilov : général russe
opposé aux bolcheviks,
tué en 1918

pineupe-gueurle :
pin-up girl

jambée *(vieux)* : aux belles
jambes
torsée *(par analogie avec
jambée)* : à la belle poitrine

L a vamp habitait, rue Caulaincourt, un petit appartement de deux pièces, meublé très modestement. Elle aurait
pu, en vendant la centième partie de ses bijoux, acquérir
par exemple le plus bel hôtel particulier de l'avenue du Bois,
mais intelligente autant que belle, Eva Grobureau se gardait d'étaler un luxe provocant. C'est qu'elle redoutait les
antennes du fisc et, non moins, les inspecteurs du contrô-
le économique qui courent derrière les Cadillac conduites
par les filles en vison et remontent ainsi jusqu'au pot aux
roses du noir ou du trafic d'or, ou d'influences, ou de
devises. Eva était une vamp moderne. On ne la rencontrait
jamais dans les salons, ni dans les bars à la mode, ni dans
les coquetèles d'ambassade, ni sur les plages mondaines. Ayant
fait, pendant l'occupation allemande, son rude apprentissage de vamp dans les campagnes françaises et vidé de
leurs billets de banque les lessiveuses des maquignons, elle
avait compris que les grosses fortunes, les forces vives du
pays, ne s'abritent plus sous les lambris dorés, mais dans des
boutiques obscures et des trois pièces sur cour où le flair
de l'Etat ne saurait déceler leur présence. Aussi l'idée de se
produire au bal des Petits Lits Blancs ou au festival Kornilov
l'eût-elle fait sourire de dédaigneuse pitié. Elle se conten-
tait de promener dans le quartier sa silhouette de pineupe-
gueurle jambée et torsée, sa mélancolie fatale et le lourd regard
de ses yeux merveilleusement pervers. Et il y avait tout un

* *En arrière*, Éditions Gallimard, 1950.

fretin de petits commerçants, de bureaucrates, de chargés de famille et d'employés du gaz qui la regardaient en tremblant de désir ou de vague à l'âme, selon le tempérament. Mais dans le tas, il y avait aussi des grossiums secrets, des marmiteux gorgés d'or, des hommes d'apparemment rien aux matelas bourrés et des faux besogneux cinq et six cents fois millionnaires. Le train de vie d'Eva, qu'on savait modeste, les mettait en confiance et leur donnait de l'audace. De temps en temps, on apprenait qu'un bougnat du quartier ou un ancien capitaine de zouaves ou un petit avocat sans causes venait de se faire sauter la cervelle et on s'étonnait tout de même qu'il fût mort sans laisser un sou.

grossiums *(argot)* : gros négociants

marmiteux *(mot fabriqué à partir de l'étymologie de marmite - qui dissimule son contenu)* : hypocrites

besogneux *(vieux)* : miséreux

bougnat *(familier)* : patron auvergnat d'un café où on vend bois et charbon

zouave : infanterie de l'armée d'Afrique

La vamp se préparait à descendre déjeuner dans un petit bouchon du voisinage lorsque chez elle se présenta un garçon boucher aux joues pleines et au teint vermeil. Il s'était débarrassé de son tablier et avait mis son plus beau complet.

bouchon : petit restaurant

— M. Ducasse vous envoie un morceau dans le filet, dit-il un peu brusquement. Il ajouta d'une voix douce : Et puis voici des roses.

Eva Grobureau comprit que le patron lui faisait hommage de la viande et le garçon du bouquet de roses. En général, les bouchers l'intéressaient médiocrement. Dans l'aristocratie du marché noir et de la combine, avec leur dix ou quinze millions de bénéfices par an, ils faisaient à ses yeux figure d'assez modestes personnages. En revanche, le garçon boucher l'intéressait, car elle songeait tout à coup que depuis plus de trois mois, elle n'avait acculé au suicide aucun jeune homme de moins de vingt-cinq ans et la car-

combine *(familier)* : moyen malhonnête

rière d'une vamp accomplie doit être jonchée de cadavres de tous âges. Elle le fit entrer et asseoir.

— Le temps, dit-elle, de mettre ces fleurs dans l'eau, je suis à vous.

sussurer : murmurer

À sa façon rauque et susurrante de prononcer : "Je suis à vous", au regard noyé dont elle appuya ces paroles, le garçon boucher manqua défaillir. Mais lorsque la vamp vint s'asseoir auprès de lui, elle avait une voix neutre, un regard vague, indifférent, et c'était comme distraitement qu'elle l'interrogeait sur sa vie et sur ses occupations. Ainsi, préludait-elle, par ce changement d'attitude, au jeu infernal qui devait, dans les quarante-huit heures, désespérer la victime de son choix. D'une pauvre voix, bien peu assurée, le garçon boucher se raconta.

Fils d'instituteur d'un village de l'Est, Adrien sortait de Normale Supérieure. Comme tant d'autres jeunes gens qui ne trouvent pas au service de l'État, sinon à des conditions misérables, l'emploi de leur beau savoir, il s'était orienté d'un autre côté. Renonçant pour toujours aux professions libérales, si encombrées à présent, il avait embrassé l'état de garçon boucher.

bistèque : beefsteak ou bifteck

— Dans la boucherie, n'est-ce pas, censément (il parlait encore le langage populaire tel qu'on l'enseigne à l'Université), censément n'est-ce pas, j'me suis dit qu'el bistèque, j'l'aurais midi et soir tous les jours. J'me suis dit comme ça qu'un jour ou l'autre, eh ben, j'épouserais la fille ed'mon patron. Seulement, je vas vous dire une chose, c'est que maintenant j'en ai plus envie, rapport que j'vous

rapport que : parce que

ai vue, mam'zelle Grobureau.

Cependant, la vamp avait changé de visage. Une roseur envahissait ses joues, un feu profond brillait dans ses yeux déjà moins pervers et, pour tout dire, elle était éprise d'Adrien. Les êtres auxquels la nature a prodigué ses dons les plus rares et qui ont été appelés à des destinées de conquérants, sont presque toujours vulnérables par quelque point. Eva, au temps de ses dix-huit ans, avait ambition-né d'être rédactrice dans un ministère et c'est après avoir échoué six fois de suite au baccalauréat qu'elle avait renoncé à son rêve pour se lancer dans la carrière de vamp, mais de ses aspirations déçues et des six échecs à son examen, il lui était resté une secrète tendresse pour les ornements de l'esprit et les diplômes universitaires.

Jetant ses bras autour du cou d'Adrien, Eva lui fit l'aveu de son amour et soupira :

— Ah! parlez-moi des Grecs, parlez-moi des Latins! Parlez-moi poésie et philosophie!

Adrien composa un bouquet d'Homère, de Sophocle, de Virgile, de Sénèque, et fit un exposé rapide et nerveux de *la Critique de la raison pure*. À toutes ces beautés, elle sentait s'ouvrir et fleurir son dur cœur de vamp comme s'ouvre et fleurit la corolle ennuitée à la caresse des rayons auroraux. Ensemble, ils déclinèrent *rosa* et *dominus*. Un long baiser vint sceller le dernier ablatif.

— Adrien, mon amour, murmura Eva, je vous dois une confidence. Je suis... mon Dieu... je suis une vamp.

Le garçon boucher pâlit affreusement.

la Critique de la raison pure : de Kant (1781)

ennuitée *(sur nuitée)* : qui a passé la nuit

auroraux *(rare)* : de l'aurore

— Je vous aime néanmoins, répondit-il, mais ne me cachez rien.

Alors, elle dit le baccalauréat manqué, l'apprentissage chez les ruraux, les maquignons lessivés, les cachettes sordides crachant leurs fortunes, les cervelles éclatées, les avoirs à l'étranger rapatriés dare-dare, les bijoux somptueux qu'elle dédaignait de porter, et toujours, sur ses pas, des cadavres, des veuves, des orphelins, des larmes. Elle-même, à cette amère confession, ne se retenait pas de verser des larmes brûlantes, de remords et de détresse.

Bouleversé, mais comprenant qu'il dépendait de lui et de lui seul que cette malheureuse s'engageât résolument dans les chemins de la vertu, Adrien ne se déroba pas à son devoir et au lieu de parler le langage populaire qu'il avait cru propre à séduire une femme distinguée, il en employa un autre, plus viril.

— Il faut avant tout, dit-il, tirer un trait sur le passé. Si votre désir est que je vous épouse, c'est la condition *sine qua non* (ici, le normalien reparaissait). La première chose à faire est de cesser tout contact avec les hommes que vous avez engagés sur les voies de la perdition. La seconde est de vous débarrasser d'une fortune si mal acquise.

— J'essaierai de rembourser les familles des victimes, et le reste, je le distribuerai aux bonnes œuvres. Mais, mariés, de quoi vivrons-nous, mon amour?

— Ne vous faites pas de souci, Eva. Comme garçon boucher, je suis nourri, payé et, en douce, il y aura toujours la côtelette pour vous. Sans compter que derrière le dos du

lessivés *(populaire)* :
ruinés, dépouillés

dare-dare *(familier)* :
à toute vitesse

patron je m'arrange pour faire un peu de marché noir.

— De mon côté, je pourrai renouer avec d'anciennes relations de la campagne. Je me ferai céder au prix de la taxe, mais en tout bien tout honneur, du beurre que je revendrai douze cents francs le kilo à Paris.

— Et avant deux ans, nous aurons notre boucherie à nous ! s'écria joyeusement l'ancien normalien.

Déjà le passé semblait s'effacer et l'avenir s'affirmer dans une perspective de bonheur cossu et tranquille. Animés par la fièvre de l'entretien, les fiancés s'étaient levés et avaient marché jusqu'à la fenêtre. Soudain, Eva fut prise d'un tremblement et ses beaux yeux s'emplirent d'horreur. En face de l'immeuble, sur le bord du trottoir, un homme d'une mise très modeste se tenait debout et levait les yeux vers son balcon. Sa main droite était engagée dans la poche de son veston.

— Adrien, courez vite, il veut se tuer! Dites-lui que je lui rendrai tout, jusqu'au dernier sou!

Le garçon boucher s'élança dans le couloir et dévala l'escalier. Eva, les jambes coupées par l'émotion, les mains crispées sur les rideaux, surveillait anxieusement les gestes du misérable qu'hier encore elle se fût réjouie d'avoir mené à sa perte. Lentement, l'homme retira la main de sa poche de veston. Eva vit briller l'acier du revolver. Son pauvre cœur dévampé se mit à battre la chamade. Lentement, l'homme éleva son arme à la hauteur de sa tête. Lentement, il en tourna le canon contre sa tempe et l'y appuya. Eva sentit, l'espace d'une seconde, sa raison s'en aller. Par bonheur,

cossu : aisé

dévampé (*formé sur vamp*)

battre la chamade : battre très vite

l'homme était gaucher et, l'ayant oublié dans son désarroi, il s'en avisa au moment de presser sur la détente. Le temps qu'il changeât de main avait suffi à Adrien pour traverser la rue, se jeter sur lui et s'emparer du revolver qu'il jetait dans une bouche d'égout.

Ce jour-là, Eva ne prit pas le temps de déjeuner et courut boulevard de Clichy à la recherche d'un forain. Il s'agissait d'un dompteur nommé Julius à qui elle avait inspiré une passion si violente qu'il s'était laissé persuader de se faire dévorer par ses lions au cours d'une séance publique qui devait justement avoir lieu ce soir-là.

boulevard de Clichy : près de Montmartre (XVIIIe arrdt.)

Vêtu d'un vieux complet, les pieds dans des pantoufles, Julius se promenait à petits pas auprès de sa roulotte. Depuis une semaine qu'il était épris, il avait maigri de plus de sept kilos et sa figure ravagée était déjà d'une pâleur mortelle.

— Julius, lui dit Eva, renoncez à cet abominable projet.

— N'y comptez pas, répondit le dompteur. Être déchiré sous vos yeux par les griffes de mes fauves, il n'y a rien de plus doux pour moi à penser.

— Julius, ne soyez pas égoïste. Songez que vous laisseriez une femme, des enfants et des lions inconsolables de votre perte. Renoncez.

— Impossible. J'ai réglé jusqu'au moindre détail du spectacle fatal. Je suis déjà d'un autre monde, et d'ailleurs...

Julius s'interrompit pour souffler à l'oreille d'Eva : "J'entends ma femme. Séparons-nous. Rendez-vous près du manège de la place." Une voix aigre, sortant de la roulot-

manège : attraction de foire où tournent des chevaux de bois, etc.

te, appelait Julius et, en s'éloignant, Eva eut le temps de voir apparaître sur le pas de la porte une petite femme maigre au visage revêche qui jeta un coup d'œil circulaire en grommelant : "Où est-il passé, cet animal-là? Je lui avais pourtant défendu de s'éloigner."

revêche : désagréable

S'étant retrouvés, Eva et Julius entrèrent dans un café de la place Blanche où ils reprirent l'entretien. Au bout d'un quart d'heure, ils n'avaient pas avancé d'une ligne. Eva avait beau supplier, le dompteur ne cédait rien. Il voulait mourir.

place Blanche : place du XVIIIe arrdt.

— Puisqu'il faut tout vous dire, Julius, je suis sur le point d'épouser un jeune homme pur et instruit, mais il y a au mariage une condition *sine qua non*, c'est que je sois désormais une femme irréprochable. Voulez-vous donc que les éclaboussures de mon triste passé viennent salir la page blanche du présent? Songez-y, mon salut est entre vos mains. Votre suicide passionnel me rejetterait à l'abîme!

Le dompteur convint que c'était ennuyeux, mais déclara qu'il n'y pouvait rien. Il avait rendez-vous avec la mort. En face de cette volonté ineffritable, Eva, impuissante, se tordait les mains sous le guéridon de marbre.

guéridon : la petite table (du café)

— Il ne me reste plus, dit-elle, qu'à aller trouver Mme Julius. Peut-être voudra-t-elle m'aider.

Le dompteur fut tellement effrayé à l'idée d'être pris par Mme Julius en flagrant délit d'aimer ailleurs, il eut une si grande peur de se faire gronder qu'il ne résista plus. Non seulement il jura sur l'honneur de ne pas attenter à ses jours, mais il s'engagea, sur l'honneur aussi, à prendre chaque jour deux comprimés de calcium pour récupérer les sept kilos perdus au cours d'une semaine d'angoisses passionnelles.

Avec cette légèreté d'humeur que procure une bonne conscience et souvent aussi, faut bien le dire, une mauvaise (mais, dans le cas, c'était une bonne), Eva montait la rue Lepic lorsqu'elle reconnut de dos, marchant à quinze ou vingt pas en avant, un pauvre jeune homme pauvre qui, la veille même, s'était jeté à ses genoux sur le trottoir humide. Il avait alors déclaré son amour et, pour toute réponse, la vamp avait eu ce regard indéfinissable et ce sourire énigmatique qui faisaient perdre la tête aux hommes. Et ç'avait été pour elle un affreux délice que d'entendre le pauvre petit gars, le regard hagard et la raison, bien sûr, en allée un peu, s'écrier :

— Je ne suis qu'un employé de la Samaritaine, mais, avant quarante-huit heures, je déposerai une fortune à vos pieds!

Et maintenant, Eva regardait le dos de l'épris avec une mortelle anxiété. Pourquoi, à trois heures après midi, n'était-il pas à la Samaritaine? S'il n'était pas allé à son travail, c'est qu'il se préparait à perpétrer un mauvais coup, peut-être un crime. Frissonnante, elle imaginait déjà un cadavre, le malheureux employé de la Samaritaine à jamais dévoyé par sa faute, le déshonneur éclaboussant une famille honnête et laborieuse, une maman infirme, un père gendarme qui ne survivrait pas à la souillure de son fils.

Arrivé presque en haut de la rue Lepic, l'employé de la Samaritaine s'arrêta devant la galerie Sandou, jeta un coup

faut *(familier)* **:** il faut

rue Lepic : la rue la plus en pente de Paris, qui monte vers le Sacré Cœur de Montmartre

La Samaritaine : grand magasin parisien, près de Pont-Neuf (Ier arrdt.)

épris *(mot fabriqué à partir de l'adjectif épris)* **:** amoureux

d'œil sur les tableaux exposés en vitrine et pénétra dans la boutique. Cinq minutes écoulées, comme il n'était pas sorti, Eva entra à son tour. Il était seul dans la galerie et paraissait examiner de très près un tableau accroché à la cimaise.

à la cimaise : c'est-à-dire à la corniche qui marque le haut des murs

— Je ne m'attendais guère à vous voir, dit le jeune homme en souriant pour dissimuler son trouble. Vous aimez la peinture ? Dites-moi ce qui vous plaît le plus ici et emportez-le. Je m'arrangerai avec le marchand.

Et, tout en parlant, il mangeait des yeux la femme de ses rêves et si grande était la gourmandise qu'il en avait, si naïve aussi, qu'il ne pouvait pas s'empêcher de passer sa langue sur ses lèvres, comme si vraiment il l'eût mangée.

— Avez-vous une mère ? demanda Eva.

— Oui.

— Elle est infirme ?

— C'est vrai, répondit l'employé de la Samaritaine en baissant la tête.

— Et vous avez aussi un père ?

— Oui.

— Il est gendarme, n'est-ce pas ?

— C'est vrai, murmura l'employé, tandis qu'une grosse larme roulait sur sa joue.

Ainsi, son intuition d'honnête femme au grand cœur n'avait pas trompé Eva. La mère était bien infirme. Le père était bien gendarme. Et le fils, en dépit d'une nature sensuelle, semblait un bon fils. Elle lui prit la main et, avec douceur, lui remontra que le cœur d'une maman est facilement brisé par les erreurs de son enfant, comme aussi celui

BRA

sandwichs

PATÉ

JAMBON

RILLETTES

OMELETTES

FROMAGE

Saint-Paul. IVe arrondissement.

opprobre *(littéraire)* :
déshonneur

d'un gendarme par la honte et par l'opprobre.

— Je ne suis pas celle que vous croyez, ajouta-t-elle, je vais me marier bientôt. A mon tour, je deviendrai mère, et, bien qu'il ne soit pas gendarme, le père de mes enfants sera quand même un honnête homme.

Ce n'est jamais en vain que l'on fait appel aux bons sentiments d'un être qui n'est pas encore endurci dans le péché. Le jeune employé de la Samaritaine se mit à fondre en larmes. Il prit un revolver dans sa poche, le jeta loin de

se déculottant : défaisant
son pantalon

lui et, se déculottant légèrement, retira un rouleau de toiles de la jambe droite de son pantalon où il l'avait habilement dissimulé. Néanmoins, Eva demeurait inquiète.

— Dites-moi où est le marchand de tableaux.

Le jeune homme, dont les larmes redoublèrent, montra du doigt une portière de velours au fond de la boutique. Redoutant le pire, elle alla droit au rideau, qu'elle écarta d'une main tremblante. M. de Decoste, le propriétaire de la galerie Sandou, gisait bâillonné et ligoté, sur le parquet. Délivré, il ne témoigna aucune mauvaise humeur, car il n'aimait rien autant que les aventures et celle-ci lui semblait même avoir tourné un peu court. Les choses s'arrangèrent donc facilement.

être sur la brèche :
rester à son poste

Une semaine durant, Eva fut ainsi sur la brèche, surveillant les hommes qu'avait subjugués le regard de ses yeux naguère pervers et particulièrement ceux qui, pour lui

le sec *(terme d'agriculture)* : le
fourrage vert et le sec, c'est-à-
dire tout ce qu'on possédait

plaire, avaient mangé le vert et le sec. Infatigable, elle allait par les rues et les ruelles, s'informant auprès des concierges et des garçons de café, coupant ici la corde d'un pendu qui respirait encore, ailleurs sermonnant un alcoolique passionnel ou arrêtant au bord du crime un père de famille consumé des feux d'un coupable désir. Son beau regard clair, qu'illuminaient maintenant le repentir et la compassion, apaisait le trouble des mâles, éteignait dans leurs yeux les sinistres lueurs de la concupiscence. Tous furent sauvés. Le soir, harassée mais heureuse, Eva regagnait son appartement de la rue Caulaincourt, où Adrien venait partager son dîner. Après le repas, ils faisaient ensemble un peu de latin, de géométrie et, vers dix heures, le garçon boucher se retirait. Un soir, au moment où il allait partir, elle lui dit d'une voix hésitante :

— Adrien, j'ai quelque chose à vous confier, mais j'ai un peu peur. Vous qui avez une si solide instruction, vous allez peut-être vous moquer. Tant pis! Figurez-vous que depuis quelques jours je pense à Dieu, je pense aux anges. J'ai envie de prier.

— Moi aussi, dit l'ancien élève de Normale Supérieure (fils d'instituteur radical).

Depuis ce jour, ils prirent l'habitude de réciter ensemble une petite prière à chaque fois qu'ils se rencontraient. Cependant, la date qu'ils avaient fixée pour leur mariage approchait. En attendant, chacun s'employait de son mieux à préparer un avenir confortable. Adrien, qui avait l'estime de son patron et savait plaire à la clientèle, se débrouillait bien. Pour Eva, après avoir remboursé ses victimes, désintéressé les veuves et les orphelins, elle menait la double tâche de répartir le reste de sa fortune entre des œuvres charitables

harassée : fatiguée

radical : le parti radical, au pouvoir dans les premières années du XXᵉ siècle, avait un programme anticlérical et laïque

et d'acheter dans les campagnes du beurre à la taxe pour le revendre au marché noir.

En moins de quinze jours, elle eut distribué sous le couvert de l'anonymat des sommes considérables à des œuvres de bienfaisance. C'était enfin la liquidation d'un passé abhorré, et l'ancienne vamp retrouvait toute la fraîcheur d'âme de son adolescence. Mais un inspecteur du supercontrôle économique et fiscal, intrigué par le Pactole qui coulait dans les caisses des bonnes œuvres, en chercha la provenance et remonta jusqu'à la source. Un soir, à l'heure crépusculaire, Eva sortait d'une maison de la rue Saint-Vincent où elle venait de placer cinq kilos de beurre, lorsqu'un homme l'aborda sur le trottoir. C'était l'inspecteur du supercontrôle économique et fiscal. Ayant décliné ses titres, il dit brutalement :

— Vous avez donné pour les pauvres des sommes fabuleuses. Il va falloir vous expliquer sur l'origine de cette fortune et payer au fisc l'arriéré des impôts et la taxe de prélèvement, sans compter les amendes qui seront énormes.

— Comment paierais-je? J'ai tout donné.

— Tant pis! répliqua l'inspecteur. Vous irez en prison. Ou alors...

Il n'en dit pas plus, mais la luisance de son regard, le clapotement de sa lèvre humide et sensuelle renseignaient suffisamment Eva. C'était un inspecteur cochon. Après avoir prié mentalement, elle lui prit la main et lui demanda de l'accompagner. Ensemble ils montèrent l'escalier de la rue du Mont-Cenis. L'homme croyait déjà que l'affaire était dans le sac, mais il commença d'être un peu inquiet lorsque Eva

Pactole *(figuré)* du nom d'une rivière qui charriait de l'or : les fortes sommes d'argent

Mont-Cenis : dans le XVIIIe arrdt.

l'eut fait entrer dans la petite église Saint-Pierre.

— Mettez-vous là, dit-elle à voix basse, en lui désignant une encoignure. Et ne bougez pas.

Une femme sortit du confessionnal et Eva prit sa place. Le bon vieux prêtre qui l'écoutait étant un peu dur d'oreille, elle se confessa à mi-voix et l'inspecteur du super-contrôle, tapi dans son encoignure, entendit tout au long ce que je viens de raconter. Emerveillé, il s'éloigna sur la pointe des pieds et, avant de sortir de l'église, glissa un billet de dix francs dans le tronc du denier de Saint-Pierre.

À l'heure qu'il est, les fiancés sont devenus des époux. Travailleurs, économes, ils comptent acheter une boucherie au commencement de l'année prochaine. En attendant, le garçon boucher aide Eva à préparer son baccalauréat. Si elle était reçue, ce serait une bonne chose.

Marcel AYMÉ

tronc : boîte où on verse les aumônes

denier de Saint-Pierre : argent destiné aux frais du culte

Quartier de Beaubourg (Centre Georges Pompidou). IVᵉ arrondissement.

LE CONDITIONNEL, LE CONDITIONNEL PASSÉ

Mettre les verbes entre parenthèses à la forme qui convient :

I. SI/IMPARFAIT/CONDITIONNEL

1. Si elle (obtenir) ------- son diplôme, ce (être) ------- une bonne chose.

2. Si je la (rencontrer) ------- , je lui (dire) ------- ce que je pense.

3. Nous les (raccompagner) ------- , même s'ils nous (assurer) ------- que

ce n'(être) ------- pas nécessaire.

4. S'il (pleuvoir) ------- , elles (prendre) ------- un taxi.

5. Tu (avoir) ------- l'air superbe, si tu (mettre) ------- cette robe!

Même exercice avec si/présent/futur.

II. SI/PLUS-QUE PARFAIT/CONDITIONNEL PASSÉ

1. S'il (savoir) ------- la vérité, il la (féliciter) ------- .

2. Si vous (connaître) ------- Eva, vous aussi vous la (trouver) ------- extraordinaire.

3. Si nous (avoir) ------- le temps, nous (aller) ------- voir la finale

du tournoi de tennis.

4. Je vous (accompagner) ------- si je n'(avoir) ------- mal à la tête.

5. Elles (rentrer) ------- plus tôt si elles (trouver) ------- un taxi.

LES PRÉPOSITIONS

Compléter par la préposition qui s'impose :
à (au), de (d'), en, dans, chez, pour, par

1. Il a longtemps vécu ------- la campagne;

maintenant il habite ------- ville, sauf ------- été.

2. ------- 1950 l'Europe sortait à peine de la guerre; on manquait ------- tout.

3. Le mariage aura lieu ------- trois jours, ------- l'église Saint-Pierre.

4. As-tu téléphoné ------- ton frère? — Oui, mais il n'était pas ------- lui.

5. Un chemisier ------- soie? Quel souci ------- élégance!

6. Il est trop tard ------- rentrer ------- métro.

7. J'ai retrouvé mon couteau ------- poche dans mon sac ------- dos.

8. Faute de tasses ------- café nous nous sommes contentés de gobelets ------- plastique

9. ------- bureau nous avons l'habitude de boire une tasse ------- café

------- la matinée.

10. Combien d'employés y a-t-il ------- le service ------- la comptabilité?

11. Je l'ai aperçue ------- la rue avant de la retrouver ------- la cafétéria.

12. ------- aller ------- Paris ------- Londres nous sommes passés ------- Dunkerque.

Faire la liste des expressions familières utilisées par Marcel Aymé dans "La vamp et le normalien"; montrer le contraste qu'elles forment avec le reste du récit.

Quartier Saint-Sulpice-Rue Bonaparte. VIᵉ arrondissement.

RAYMOND QUENEAU

Raymond Queneau est né en 1903 au Havre, ville où il a fait ses études jusqu'en 1920. Il prépare ensuite à Paris une licence de philosophie, fréquente les surréalistes, avec qui il rompt en 1929. Après son service militaire en Algérie, dans les zouaves, et la campagne du Rif au Maroc, il exerce divers métiers dont celui de journaliste.

Son premier roman, *Le Chiendent*, est publié en 1933 par les Éditions Gallimard dont il devient un des collaborateurs peu après. Ses titres les plus connus sont *Exercices de style*, de 1947, et souvent mis en scène depuis, *Zazie dans le métro*, de 1959, adapté au théâtre et au cinéma.

Raymond Queneau est devenu membre de l'Académie Goncourt en 1951. Il est mort en 1976.

Les situations de "Panique" et "Un jeune Français nommé Untel, I, II" sont à la fois banales et absurdes : le délire des mots déplace les lignes d'un monde de convention.

Panique *

"C'est pas drôle de faire un truc comme ça le dimanche des Rameaux!" grommelait un souillon du sexe féminin en ramassant une crotte de chien déposée devant la porte du bureau; puis il ou elle alla chercher un torchon et de l'eau pour effacer jusqu'aux traces dernières du méfait canin. Pendant son absence, un homme d'une quarantaine d'années était entré.

truc *(familier)* : chose

souillon : domestique malpropre

canin *(ironique)* : du chien

— Je voudrais voir une chambre, dit-il en saluant poliment l'être servile, qui alla quérir sans hâte Mme la directrice.

servile *(figuré)* : la servante

quérir *(vieux)* : demander

Cette forte personne, reniflant le gibier, sourit :

gibier *(figuré)* : la victime potentielle

— Vous désirez une chambre, Monsieur?

— Oui, Madame.

— Pour une ou deux personnes?

— Pour une. C'est pour moi.

— Ce serait pour longtemps?

— Pour trois mois au moins.

Voilà qui est intéressant.

— J'aurais le 6 de libre au premier et le 30 au second.

— Je voudrais une chambre bien tranquille.

— Oh, Monsieur, c'est très tranquille ici! Le quartier est très tranquille et mes pensionnaires aussi sont très tranquilles; une famille de Brest, des gens très bien, une religieuse...

Brest : port à l'extrémité de la Bretagne

— Vous me garantissez vraiment la tranquillité de

* *Contes et propos*, Éditions Gallimard, 1981

votre hôtel?

— Mais, certainement, Monsieur.

Elle rit pour bien montrer que c'était évident, comme si l'évidence faisait rire.

— Vous voulez voir le 6 et le 30?

Elle le guida à travers le dédale des couloirs. C'était une antique pension de famille, fondée du temps de la Sainte-Alliance.

Par les fenêtres du 30 (il y en avait deux), on pouvait voir une cour parsemée de quelques marronniers que le printemps, que l'on disait tardif, n'avait pas encore fait bourgeonner. Le visiteur renifla l'atmosphère légèrement moisie, tâta les oreillers (c'est de la plume, remarqua-t-il à voix basse), jeta un vague coup d'œil sur le cabinet de toilette, se pinça la lèvre inférieure entre le pouce et l'index de la main droite. Il ne fit aucune autre remarque et demanda à voir le 6.

Le 6 était encore occupé, mais serait libre dans la soirée. L'actuel occupant semblait faire une consommation particulièrement importante d'eau de Vittel. Cette chambre possédait cette curieuse particularité : la fenêtre du cabinet de toilette s'ouvrait sur la rue.

— Si le bruit des autos vous gêne, vous pouvez fermer la porte du cabinet de toilette, dit la directrice. C'est très pratique.

Le visiteur regardait autour de lui sans rien dire. Il toussa, ouvrit la fenêtre, la referma. Puis il tâta les oreillers.

— C'est de la plume, dit-il.

dédale : labyrinthe

Sainte-Alliance : système d'alliances mis au point par le chancelier autrichien Metternich au congrès de Vienne (1815)

Mme la directrice ne répondit rien, ne voyant là rien qui pût être sujet à contestation.

— Est-ce qu'on ne pourrait pas les enlever? demanda-t-il.

— Les enlever?

— Oui, la plume, ça me gêne. On ne pourrait pas m'enlever ces oreillers?

Mme la directrice ne comprenait point, mais elle connaissait son métier.

— Certainement, Monsieur. Certainement, on vous les enlèvera.

Il regarda encore autour de lui. Il examina le cabinet de toilette attentivement. Il revint dans la chambre. Il se décida.

— Je vais prendre celle-ci.

donne : ouvre

— Oh, elle est très bien. Elle est très tranquille, elle donne sur la cour. Si le bruit de la rue vous gêne, vous n'avez qu'à fermer la porte du cabinet de toilette. C'est très pratique.

— Oui, c'est très bien.

— Et vous resterez trois mois?

un prix : un rabais

— Au moins. J'espère que vous me ferez un prix.

Ils redescendirent au bureau en discutant de cette question. Ils finirent par se mettre d'accord. La directrice s'appesantit sur une chaise qui geignit.

s'appesantit sur une chaise : fit porter tout son poids sur une chaise

— Je vais vous demander de remplir une fiche, Monsieur.

Il le fit rapidement, sans hésitation, en homme qui en a l'habitude. Puis il refusa de payer sur-le-champ, préférant attendre jusqu'au lendemain. Il sortit en saluant profondément.

La fiche ne présentait aucun intérêt. Mme la directrice la mit avec les autres; elle termina son après-midi en écoutant Radio-Toulouse.

Vers sept heures, le client réapparut. Il souriait d'un air gêné.

— J'ai changé d'avis. Si cela ne vous dérange pas, Madame, je préférerais l'autre chambre, celle qui donne entièrement sur la cour.

— Vous avez raison, Monsieur; elle est certainement plus tranquille que l'autre.

— Mais je ne voudrais vous causer aucun dérangement.

— Ça ne me dérange pas du tout, Monsieur. Le frère du colonel devait y coucher ce soir, mais je lui donnerai le 6. Ça lui est égal, pour une nuit.

— Et quel est le numéro de cette chambre, celle qui donne sur la cour?

— C'est le 30.

— Le 30. Très bien.

— Quand vous rentrez, vous avez la minuterie sous la glace, à droite.

la minuterie : le bouton déclenchant l'éclairage d'escaliers ou de couloirs pendant un nombre fixe de minutes

Il s'inclina et s'en fut.

— Eh, dites, allez chercher la valise du 6 et portez-la au 30.

Le souillon, peinant, trimballa la valise à travers les couloirs.

trimballa *(familier) :* transporta

— Ben vrai, dit-elle, c'est des cailloux qu'y a dans sa valise à ce monsieur.

ben *(familier) :* bien

qu'y a *(populaire) :* qu'il y a

Puis elle alla engloutir la pâtée qui composait son menu.

pâtée *(ironique) :* nourriture pour animaux

Vers onze heures, le 30 rentra. Il prit sa clé au tableau et monta. Mme la directrice l'observa, mais ne lui découvrit aucune singularité. Elle rejoignit son lit solitaire, car elle était veuve; le souillon grimpa dans sa mansarde. Peu à peu, tout l'hôtel s'endormit, le frère du colonel, la religieuse, la famille de Brest.

Mme la directrice se levait à 6h30; à sept heures, elle était assise à son bureau et commençait à lire le journal. Ce laps de temps suffisait à ses soins de toilette, à ses travaux d'habillement et à la manducation de son petit déjeuner. Le nez coiffé d'un binocle vacillant, elle était donc en train de savourer le récit de l'assassinat de la concierge des bains-douches de Plaisance lorsqu'un toc-toc, discret mais plein de décision, lui fit cesser sa lecture. C'était le 30.

manducation (*terme médical*) **:** action de manger

binocle : pince-nez

bains-douches : établissement de bains publics

Plaisance :
rue de Plaisance, XIVe arrdt.

— Bonjour, Monsieur, dit-elle avec un sourire de bonne fabrication.

— Excusez-moi, Madame, dit l'autre, je m'en vais.

Le rictus directorial s'effondra.

— Vous vous en allez?

— Oui, je ne peux pas rester.

— Ce n'était pas tranquille?

— Oh si, Madame, c'était très tranquille, très tranquille.

— Alors, qu'est-ce qu'il y a? Il y a quelque chose. S'il y a quelque chose, il faut me le dire.

— Il n'y a rien.

Sa figure se convulsa un moment, puis reprit un aspect acceptable.

— Ce sont les oreillers, alors! s'écria Mme la directrice. On a oublié de vous les enlever. C'est cela : on a oublié de vous les enlever!

— Non, Madame, on les a enlevés.

— Je ne comprends pas alors. Je ne comprends pas. Vous m'aviez dit que vous resteriez trois mois. Et cette chambre est très tranquille, n'est-ce pas?

— Oui. Oui. Elle est très tranquille. Mais j'ai une une impression. Vous comprenez, quand on a une impression...

Il fit un geste qui parut dépourvu de signification à Mme la directrice. Celle-ci, gênée, sourit bêtement.

— Je vous dois combien? demanda-t-il.

— Pour une nuit, c'est trente francs.

Il sortit un billet de cent francs et ramassa la monnaie sans rien dire. Mme la directrice le regardait. Il fit de nouveau un geste.

— Vous comprenez, je ne peux pas rester. Je regrette beaucoup.

— C'est moi qui regrette. Au revoir, Monsieur.

— Enfin, voilà...

Il saisit sa valise brusquement, salua d'un grand coup de chapeau et sortit. Dehors, il hésita un peu. Aucun taxi ne passait. Il traversa et disparut un peu plus loin, au coin de l'avenue.

Le souillon, qui astiquait un meuble, s'exclama :

— Alors, celui-là!

— On en voit des numéros, dit Mme la directrice.

— C'est un piqué.

numéros (*familier*) : personnes bizarres

piqué (*familier*) : fou

— C'est sûrement un neurasthénique. Je préfère qu'il soit parti.

— C'est des cailloux qu'y avait dans sa valise, ricana l'esclave. Des cailloux!

cogitations *(ironique)* : pensées

Ayant ainsi formulé le résultat de ses cogitations, elle se remit à frotter avec une ardeur accrue le meuble qu'avait désigné à son zèle incompréhensif les ordres pleins de sagesse de Mme la directrice.

Raymond QUENEAU

FORMES PRONOMINALES ET PASSIVES

I. Mettre les phrases suivantes :

a. à la forme interrogative par inversion du sujet

b. à la forme négative

1. Elle se levait d'habitude avant sept heures du matin.

2. Il s'est plaint du bruit.

3. Tu te demandes ce qui se passe.

4. Vous vous mettrez d'accord sur le prix.

5. Nous nous étions réjouis de la nouvelle.

II. Mettre les verbes pronominaux entre parenthèses au passé composé et faire l'accord du participe passé :

1. Elle (se lever) ------- à sept heures ce matin.

2. Elle (se laver) ------- les mains.

3. Nous (s'écrire) ------- pendant les vacances.

4. Les lettres que nous (s'écrire) ------- sont un vrai roman-feuilleton.

5. Ils (s'habituer) ------- à leur nouvelle vie.

III. Mettre les phrases suivantes à la forme active en utilisant :

a. *on* et un verbe à la forme active

b. un verbe pronominal

1. Le champagne est bu frappé.

2. Ce modèle de machine à écrire n'est plus fabriqué.

3. L'appartement a été vendu la semaine dernière.

4. Le problème a été résolu dans la journée.

5. La forme passive est rarement utilisée en français.

EN RELISANT LE TEXTE

Noter les questions exprimées par la seule intonation
dans "Panique" de Raymond Queneau; préciser l'effet produit.

Boulevard Edgar Quinet. XIVe arrondissement.

Un jeune français nommé Untel *

I

untel : n'importe quel nom

la débine : la misère

miteux : misérable

Un jeune Français nommé Untel, se trouvant dans la débine, se promenait tristement boulevard Edgard Quinet, le long du cimetière Montparnasse lorsqu'il fut accosté par un vieil homme d'un aspect fort miteux, presque un mendiant.

— Ça ne va pas, hein? Ça ne va pas, hein? dit ce vieillard.

— On ne peut pas dire, répondit Untel.

— Je parie que c'est l'argent qui manque.

— Vous l'avez dit.

— Qu'est-ce que vous seriez disposé à faire pour avoir de l'argent?

— Tout.

— Même un cambriolage?

— Pourquoi pas?

— Suivez-moi.

Lion de Belfort : statue du XIVe arrdt. commémorant la défense de Belfort pendant la guerre franco-prussienne de 1870-71

rentier : personne qui vit de ses rentes, c'est-à-dire du revenu de son capital

manille : jeu de cartes

toute cuite : réussie d'avance

Ils descendirent le boulevard Raspail vers le Lion de Belfort.

— C'est un vieux rentier qui habite au cinquième, expliquait le mendiant. Il a tout son argent chez lui. Tous les soirs il s'absente pour faire une manille. De 8 heures à 8 heures 30, le concierge est toujours absent. On peut dire que l'affaire est toute cuite. Tenez c'est ici, ajouta-t-il en s'arrêtant devant un bel immeuble moderne et d'un signe de tête montra l'appartement du rentier.

— Ne faites donc pas des grimaces comme ça. Vous allez nous faire remarquer.

* *Contes et propos*, Éditions Gallimard, 1981.

Le vieux haussa les épaules.

— Ce sera comme vous voulez.

Il s'approcha de la porte et sonna.

— Qu'est-ce que vous faites là, lui demanda Untel alarmé.

— C'est ici que j'habite, répondit le vieux avec un sourire.

La porte s'était ouverte; il la referma derrière lui, soigneusement. Untel s'éloigna en calculant de tête la racine carrée de 123 456 789. Pour passer le temps.

II

3 juillet

En revenant des courses, les deux frères Smith avaient pris un taxi avec un jeune Français nommé Untel. Eux, avaient gagné; il était probable que lui avait perdu. Ils descendirent à l'Opéra avec l'intention d'aller boire un verre au Pam-pam. Le taxi, payé, disparut dans la direction du Palais-Royal. C'est alors que l'aîné des frères Smith, il se nommait Arthur, constata qu'il n'avait plus son portefeuille. Son frère cadet, il se nommait également Arthur, suggéra qu'il l'avait sans doute oublié dans le taxi. Un inspecteur de la Sûreté qui se trouvait là comme par hasard se mêla de cette histoire, témoigna de ses fonctions et se vanta de retrouver en très peu de temps le portefeuille perdu.

— Retrouver un portefeuille perdu dans un taxi, c'est

courses : courses de chevaux

Pam-pam : bar célèbre dans les années cinquante; on y servait des spécialités américaines

l'enfance de l'art, affirma-t-il.

— Permettez, dit Untel. Avant de commencer vos recherches je désirerais que vous me fouilliez. Je veux qu'aucun soupçon ne pèse sur moi.

— Mais personne ne vous soupçonne, dirent en cœur les frères Smith.

— Je désire être fouillé, affirma Untel d'un ton déclamatoire.

— C'est bien pour vous faire plaisir, dit l'inspecteur, qui retrouva dans les poches du jeune homme non seulement le portefeuille de Smith aîné, mais encore celui de Smith cadet.

détala *(familier)* : s'enfuit

Tout le monde était stupéfait. Untel détala.

— Inutile de courir, lui cria le policier. Je sais qui vous êtes. Je vous attraperai quand je voudrai.

De l'autre côté du boulevard, Untel hurla :

— Non, vous ne m'attraperez pas !

Hispano 54CV : modèle des années trente d'une marque d'automobile de luxe

A ce moment une Hispano 54 CV passait; elle venait d'obtenir un Premier Grand Prix d'Honneur au concours d'Élégance Automobile. Untel sauta dedans et sourit.

— Ah, mourir dans une Hispano, murmura-t-il béatement et, sortant un revolver de sa poche, se tua.

Quel sale snob!

Raymond QUENEAU

Avenue de l'Opéra. IIᵉ arrondissement.

LES DÉMONSTRATIFS

I. Remplacer les tirets par l'adjectif démonstratif convenable :

ce, cet, cette, ces

1. ------- livres ne valent rien.

2. ------- hôtel a des chambres libres.

3. ------- enfants nous cassent les oreilles.

4. ------- femme nous a rendu service.

5. ------- travail nous plaît.

II. Remplacer les tirets par le pronom démonstratif convenable :

celui, celle, ceux, celles

1. Voici mon bureau, ------- de la secrétaire est au bout du couloir.

2. J'ajouterai quelques remarques à ------- du président.

3. Notre équipe de football va rencontrer ------- qui est en tête du championnat.

4. À qui appartiennent ces portefeuilles? — Ce sont ------- des frères Smith.

5. Les films que je préfère sont ------- où il y a de l'action.

III. Remplacer les tirets par le pronom démonstratif convenable :

ce, c', cela

1. Qui est là? ------- est moi!

2. ------- est curieux : je ne l'aurais pas cru de lui.

3. Ne dites pas ------- , ------- est trop bête.

4. ------- fait quinze jours que je vous ai écrit.

5. Attention! ------- sera bientôt à vous de jouer.

Quartier Montagne Sainte-Geneviève. Vᵉ arrondissement.

DANIEL BOULANGER

D aniel Boulanger est né en 1922 à Compiègne. Ses premiers poèmes et ses premières pièces de théâtre datent de 1942. Dans les années de l'après-guerre il est répétiteur dans un collège, organiste, berger au Brésil, rédacteur aux affaires économiques au Tchad, courtier en tableaux, grand voyageur. À partir de 1957, installé à Paris, il écrit romans, nouvelles, poèmes, scénarios de films. De nombreux prix littéraires ont couronné son œuvre : Prix de la Nouvelle pour *Les Noces du merle* (La Table Ronde, 1963); Prix Sainte-Beuve pour *Le Chemin des Caracoles* (Robert Laffont, 1966): Prix Max Jacob pour *Retouches* (Gallimard, 1970); Prix de l'Académie Française pour *Vessies et lanternes* (Gallimard, 1971); Prix du Livre Inter, pour *L'Enfant de Bohême* (Gallimard, 1978); Prix Prince Pierre de Monaco 1979 pour l'ensemble de son œuvre. Daniel Boulanger est en outre membre de l'Académie Goncourt depuis 1983. En 1990, il a publié un roman : *Mes Coquins* (Gallimard).

"Placide", nouvelle parue dans *L'Enfant de Bohême,* est un roman en miniature ou bien une séquence de film à deux personnages dans un décor de banlieue comme on en trouve aux environs de Paris. Chacune des deux brèves scènes qui composent "Placide" est le miroir de l'autre.

PLACIDE *

Flora sifflait en faisant sa vaisselle. Elle entendit grincer la grille qui donne sur l'impasse, s'essuya les mains, se donna un coup d'œil au miroir du corridor et se demanda quel visiteur entrait ainsi sans tirer la sonnette. Un gamin? À deux heures de l'après-midi un jour de classe? son mari qui aurait oublié un dossier? Avec ses mille démarches d'assureur! Le facteur? Un télégramme? Sans doute Martine, sa voisine, toujours prête à prendre le bus pour Paris, histoire d'aller lécher les vitrines? Flora en était là de toutes ces suppositions quand elle ouvrit la porte de la maison. Un homme de l'âge de son père, environ la cinquantaine, se tenait sous le soleil penché au milieu du jardin, son chapeau mou à la main, le crâne rougi par l'effort qu'il faisait pour tirer une mauvaise herbe de l'allée, entre les haies de buis. Il se redressa et allait se présenter quand un train de marchandises passa sur le viaduc, au fond de la propriété. Il leva son chapeau dans la direction du bruit, avec un sérieux d'orateur. Flora détailla l'homme en une seconde : visage grave, vieille veste de tweed, large pantalon de velours aux côtes usées mais propre sur des souliers qui souriaient, le nez retroussé. Le train n'en finissait pas.

— Quatre-vingt-treize wagons, dit l'homme. Ce convoi de fer au-dessus des fleurs! Le progrès m'inquiète. Je ne suis sensible, hélas, qu'à ce qui ne fait pas de bruit. Permettez-moi de me présenter, madame : Placide Armincourt, jar-

corridor : couloir

lécher les vitrines :
admirer de près les vitrines
des magasins

 * *L'Enfant de Bohême*, Éditions Gallimard, 1978.

dinier quatre branches.

— Pardon?

— Comme il y a des cuisiniers trois étoiles. J'ai fait les écoles, mais que le Diable m'écrase! les temps sont difficiles. Je sors de l'hôpital. De méchantes brûlures, voyez! Je dirai : un Viet-nam à mon échelle.

Il releva l'une de ses jambes de pantalon au-dessus du genou et Flora vit des plaques de tous les violets.

— L'hôpital, madame! Vous devenez une masse dans un lit numéroté. Vous perdez votre emploi quand vous en sortez. Je ne suis pas syndiqué. Et à mon âge! J'aime la liberté, qui a de furieux retours de bâton! Vous n'avez pas de chien, j'espère?

— Non, dit Flora.

— Tant mieux, ils me font peur désormais.

— C'est un chien qui vous a fait cela?

— Ici, dit-il en relevant la manche gauche de sa veste.

Flora aperçut les lacets mauves de profondes cicatrices.

— Un molosse m'a sauté dessus. J'étais fatigué. Je m'assieds sur un banc du square (quand je quitte un jardin privé c'est pour un jardin public, je n'aime que les plantes, chacun son éducation) et j'adresse la parole au danois qui était là, près de sa maîtresse. Voilà sa réponse!

"Mais le bas, madame, mes jambes, c'est en donnant un coup de main à mon ancien employeur dont j'entretenais le parc. Je sors une bonbonne d'acide sulfurique. A-t-on idée de transporter cela sur les coussins élastiques d'une conduite intérieure? Au rebord de la portière, en la tirant... Voilà

syndiqué : membre d'un syndicat, d'une organisation professionnelle

retours de bâton *(figuré)* **:** où il y a des hauts et des bas

lacets : zigzags

molosse *(littéraire)* **:** gros chien

bonbonne : très grosse bouteille

le résultat. Je cherche donc quelques petits jardins à soigner. Plus de grands espaces, mais de gentils enclos.

— Hélas, dit Flora, mon mari n'est pas là, mais il vous répondrait comme moi. Notre plaisir est de soigner notre jardin nous-mêmes!

Elle se retourna sur le petit rectangle d'herbe qui s'en allait jusqu'au grillage tendu entre deux piliers du viaduc. Un nouveau train s'annonçait au tremblement d'une tôle sur un appentis.

— Je pourrais reclouer ça, par exemple, dit Placide. Il y a toujours quelque chose à faire. Epucer les rosiers. Je ne demande pas la pitié, mais du travail.

Flora regardait le visage bon enfant quoique couperosé et le nez particulièrement fleuri, mais l'homme poursuivait, la voix recouverte par le vacarme du train :

— J'adore les lys.

— Où voyez-vous des lys?

— Justement, j'en mettrais une rangée au fond.

— Ecoutez, dit Flora assez émue en fouillant ses poches de tablier.

— Non, non, dit Placide en lui touchant le bras, je jurerais que vous cherchez de quoi me faire l'aumône. Je finirai bien la journée si cela est écrit. On l'a dit avant moi : regardez les oiseaux et les lys. Ils ne sèment ni ne filent et pourtant ils sont là. Adieu, madame, oh! ce chardon! permettez-moi de l'ôter.

Il se précipita pour l'arracher, mais arrivé à la plante, il se retourna.

épucer les rosiers : débarrasser les rosiers de leurs pucerons

couperosé : rouge et veiné

fleuri : gonflé comme par des bourgeons

— Vous n'auriez pas des gants? Vous avez bien de l'outillage?

— Oui, dit Flora, mais n'insistez pas, je vous remercie, je regrette vraiment. Surtout que mon mari et moi nous n'avons pas les moyens. Nous commençons la vie, monsieur.

les moyens :
les moyens financiers

— Finissez-la mieux que moi, dit Placide.

Ils regagnèrent la grille, et Flora sortit de sa poche un billet de cent francs.

— C'est trop, dit Placide spontanément.

— Je sais, dit Flora, mais prenez dix francs et rapportez-moi la monnaie. Vous êtes d'ici?

— J'y suis né, dit Placide.

— Vous avez pourtant un accent curieux, dit Flora avec gentillesse.

— Tous les accents sont curieux, reprit-il. On ne les attrape pas uniquement dans tel ou tel pays. Moi, je l'ai pris à ma femme, par exemple. L'amour imite, je peux même dire que l'amour ne fait que ça : imiter. C'est la preuve et le fondement. (Sa voix devint grave.) J'étais pourtant destiné à entrer dans les ordres, mais la vie bifurque. J'ai pris femme et je n'ai plus qu'un désir : l'imiter jusqu'au bout.

le fondement :
qui justifie son existence

les ordres :
ordres religieux

bifurquer : changer de direction

— C'est d'un bon mari, dit Flora.

— Elle est morte, ajouta Placide.

— Je vous demande pardon.

De la main qui tenait le billet, il fit un geste comme s'il chassait une mouche et empocha la coupure.

la coupure : le billet

— La monnaie, dit-il, je vous la rapporte de ce pas.

de ce pas : tout de suite

Ils échangèrent un regard honnête où tenaient en

accord l'estime réciproque, l'attention, le regret de ne pas pouvoir faire plus l'un pour l'autre et cette pointe de tristesse qui accepte une fois de plus la vie mal faite et l'impossibilité d'une aide quelconque parce qu'il n'en est plus temps. Puis Flora le regarda s'éloigner. La légère boiterie de l'homme semblait s'atténuer. Il faisait une courte halte sans doute pour reprendre souffle. Le ciel de ce côté-là était d'un bleu vierge. Un nouveau train sur l'autre bord paraissait transporter sans soin des milliers de miroirs.

Il était maintenant dix heures du matin. À midi l'amateur de jardins n'était pas encore venu rendre la monnaie, quand Martine vint s'inviter à déjeuner, comme les deux femmes le faisaient souvent, chez l'une chez l'autre, avant d'aller faire un tour à Paris.

— J'ai eu la visite d'un drôle de type, raconta Flora.

— Tu ne le reverras jamais, dit la voisine. Il t'a possédée de la bonne façon. Un jardinier quatre branches! Ça existe?

— Pourquoi pas? dit Flora. On met des badges partout, maintenant.

Le soir, Flora recommença l'histoire pour son mari.

gourde *(familier)* :
niaise, naïve

— Je ne te croyais pas aussi gourde! conclut-il.

— Il me faisait pitié. Et pourquoi ne serait-il pas jardinier?

carotteur : escroc

— Carotteur sûrement!

— Je t'assure, François. Tu l'aurais cru, toi aussi.

la vinasse :
le mauvais vin

— Il devait puer la vinasse!

— Je n'ai pas remarqué.

— Laisse-moi me laver les mains, dit-il.

— Sans doute viendra-t-il demain, reprit-elle. Peut-être a-t-il eu une attaque, un accident.

— Alors, s'écria François, il faut que j'entretienne tes pitiés! Jette l'argent par les fenêtres, tu feras toujours des heureux!

— Je t'en prie, dit-elle, et sa colère tournait aussi contre elle-même. J'en ai assez entendu.

Elle alluma le poste radio et le mit à pleine force. François prit son assiette et l'alla finir dans sa chambre à coucher.

Le lendemain les époux ne pensèrent plus à cette petite aventure et la vie continua, pour lui les placements d'assurance-vie, pour elle le souci de la maison.

Quinze jours passèrent. Un matin, la grille sur l'impasse grinça et Flora qui repassait du linge entendit une voix qui demandait : "Quelqu'un?" J'avais raison, se dit-elle en apercevant par la fenêtre l'homme au nez rouge, il me rapporte la monnaie. Elle était émue et souriante, décidée à le faire entrer dans la maison, à écouter le malaise ou la malchance qui avait retardé son retour. Aussitôt qu'elle parut, le visiteur, habillé comme la première fois, ôta son chapeau. Sur le viaduc une machine haut le pied faisait voler en copeaux le silence ensoleillé.

— Permettez-moi de me présenter, madame : Placide Armincourt, jardinier quatre branches.

Flora qui s'était approchée de lui retira la main qu'elle lui tendait et fronça le sourcil. L'autre continuait d'une voix profonde :

les placements d'assurance-vie :
les ventes de contrat d'assurance-vie

haut le pied : seule

faisait voler en copeaux
(figuré) : faisait voler
— comme un rabot —
des copeaux de bois

— Que le Diable m'écrase, les temps sont difficiles. Je sors de l'hôpital. De méchantes brûlures, voyez! Je dirai : un Viet-nam à mon échelle.

Flora revit les jambes marbrées de zones violettes. Elle avala sa salive. C'était beaucoup plus laid à voir que la première fois et la colère qui montait en elle s'arrêta. Elle regarda l'homme dans les yeux.

— Jardinier quatre branches? dit-elle ironiquement.

— Comme il y a des cuisiniers trois étoiles, reprit-il en enchaînant : l'hôpital, madame! Vous devenez une masse dans un lit numéroté. Vous perdez votre emploi quand vous en sortez. Je ne suis pas syndiqué. Vous n'avez pas de chien, j'espère?

— Pourquoi? dit Flora qui voulait savoir si le numéro de Placide était au point une fois pour toutes, et le souvenir de Grock la traversa, qui avait passé sa vie à régler à la perfection un sketch de quarante-cinq minutes.

Grock : le célèbre clown suisse (1880-1959)

Placide souleva sa manche gauche, montra son bras couturé de cicatrices.

— Un molosse m'a sauté dessus. J'étais fatigué. Je m'assieds sur un banc du square. (Quand je quitte un jardin privé c'est pour un jardin public, je n'aime que les plantes, chacun son éducation.)

— Mais vos jambes ? coupa Flora.

— C'est en donnant un coup de main à un ancien employeur dont j'entretenais le parc. Je sors une bonbonne d'acide sulfurique...

— Et vous voulez vous occuper de petits enclos désormais, fini les grands espaces?

— Exactement, madame. Vous avez saisi ma démarche. Je ne demande pas la pitié, mais du travail.

— Et vous adorez les lys?

— J'en mettrais partout! Une rangée là-bas, au fond, par exemple. Les oiseaux et les lys ne sèment ni ne filent. Oh, voyez ce chardon dans l'allée. Vous n'auriez pas des gants?

— Pourquoi? dit Flora en souriant. Pour me rendre la monnaie de mes dix mille francs?

Par malchance aucun train ne passait, aucune diversion ne portait secours à Placide et la mémoire lui revint d'un coup.

dix mille francs : c'est-à-dire cent (nouveaux) francs selon la réforme de 1959 qui n'a pas encore aboli l'ancien usage

— Est-ce possible? dit-il. C'est vous, le billet? Je suis donc déjà venu? Vous n'avez pas besoin de jardinier, est-ce bête! Où avais-je la tête?

Flora se demanda si Placide n'avait pas pâli. La résille de la couperose semblait faite d'un plus gros fil et Armincourt respirait profondément, le visage levé.

la résille *(figuré) :* le réseau des vaisseaux sanguins

— Sans mémoire, dit Flora, comment pouvez-vous vivre?

— Je me demande au contraire, murmura Placide, comment on peut vivre avec.

Le ciel sans défaut ne penchait d'aucun côté, mais Flora n'avait pas l'âme philosophique, ce matin-là.

— C'est idiot, dit-elle, quand je vous ai vu arriver j'étais décidée à vous prendre un jour par-ci un jour par-là, pour entretenir le jardin. Moi aussi, j'aime les lys. Je vois la barrière heureuse qu'ils feraient au bas du viaduc.

— Les trains! lança Placide.

— Vous n'aurez pas à en supporter le bruit, ici, en tout cas!

Comme il mettait la main dans sa poche de veste, elle lança :

— Non, non, gardez la monnaie. Vous m'avez trompée. Enfin, vous m'avez fait du théâtre.

— La vie, madame! dit-il.

— Mais je paye toujours ma place, dit Flora. Gardez tout.

Placide cependant ne sortait pas d'argent, mais un mouchoir de grande taille, dont la vue faillit un instant attendrir Flora. C'était un de ces grands carrés aux lignes d'un bleu passé qui lui rappelait non pas son père mais son grand-père.

— Je dois vieillir, dit Placide. Le voyant rouge s'est déjà allumé! Cette aventure m'est déjà arrivée. Faut-il en rendre le vin responsable? Je bois à peine. Et d'ailleurs j'ai toujours pris soin de contrôler mon haleine. Je souffle de temps en temps dans ma paume et je respire. Comme ça. — Il souffla. — Si je sens le moindre relent, je vais m'allonger, je laisse le temps s'évaporer. Madame, vous me voyez navré. Je ne mérite plus mes quatre branches. J'étais fait pour une vie réglée, encadrée, communautaire, ressemblant en cela à la plupart des hommes qui ne peuvent vivre seuls mais en sacs, pareils aux grains. Malheur à ceux qui comme moi ne sont que la balle du blé!

Flora se demanda s'il ne se payait pas sa tête, mais le ton était juste et grave, l'œil de Placide soudain absent et la main tremblait en remettant le mouchoir en poche.

passé : fané, dont la couleur a perdu son intensité

voyant : signal lumineux

navré : désolé

la balle du blé : l'enveloppe du grain

se payer la tête de quelqu'un *(familier) :* se moquer de quelqu'un

— Attendez, dit-elle vaincue, je vais vous chercher quelque chose.

Elle rentra dans la maison pour prendre de la monnaie dans le sucrier qui servait de tirelire. Elle et son mari ne l'ouvraient que dans les grandes occasions, ils y glissaient chaque jour quelques pièces, comme des voleurs qui feraient leur geste à l'envers.

Quand elle revint, Placide était parti.

Elle courut à la grille et le vit disparaître. Il boitait pour de bon.

Daniel BOULANGER

Quartier Montagne Sainte-Geneviève. V^e arrondissement.

LES PRONOMS PERSONNELS

I. Récrire les phrases suivantes en remplaçant les mots soulignés par les pronoms qui conviennent :

le, la, les, lui, leur, y, en

1. Flora sifflait en faisant <u>la vaisselle</u>.

2. L'homme s'est engagé à soigner <u>le jardin</u>.

3. Nous n'avons pas <u>d'outils</u> ici.

4. Il a dit qu'il lui rapporterait <u>la monnaie</u>.

5. Nous avons un <u>chien</u>.

6. Le jardinier mettra <u>des fleurs</u> partout.

7. Il faut rendre <u>ce mouchoir à Placide</u>.

8. Tu diras <u>les nouvelles à nos amis</u>.

9. Ils ont loué <u>leur maison à la voisine</u>.

10. Avez-vous répondu <u>à sa lettre</u>?

11. Il n'y a pas <u>de réponse</u>.

12. Placide avait déjà fait <u>cette proposition à Flora</u> quinze jours plus tôt.

II. Récrire les phrases suivantes en remplaçant les mots soulignés par les pronoms qui conviennent :

lui, elle, eux, elles

1. Flora a parlé de Placide <u>à son mari</u>.

2. Flora a parlé <u>de sa voisine</u> à son mari.

3. Prêtez ces gants <u>à Placide</u>.

4. Ils sont sortis avec <u>leurs filles</u>.

5. Occupez-vous <u>de ces gamins</u>!

6. Téléphone <u>à Marie</u>!

7. Nous avons acheté des fleurs pour <u>Martine</u>.

8. L'homme ne reviendra pas chez <u>Flora</u>.

EN RELISANT LE TEXTE

Relever dans "Placide" de Daniel Boulanger les verbes au passé simple; qui parle?

Jardin des Plantes. Ve arrondissement.

ANDRÉ HARDELLET

André Hardellet est né en 1911 à Vincennes où il a vécu ses premières années. De 1918 à 1929 il fait d'excellentes études à Paris. Il ne poursuit cependant pas ses études médicales et travaille pour l'entreprise familiale — une fabrique de bijoux. Mobilisé en 1939, il participe à la campagne de 1940.

Ses premières tentatives dans la poésie et le roman datent de la guerre; elles aboutiront quelques années plus tard : *La Cité Montgol* (Éditions Seghers, 1952), *Le Seuil du Jardin* (Éditions Julliard, 1958). Viennent ensuite, en 1962, *Le Parc des Archers* (Julliard), en 1966 *Les Chasseurs* (Jean-Jacques Pauvert), et en 1973 *Les Chasseurs Deux* (Jean-Jacques Pauvert).

André Hardellet est mort en 1974.

On retrouve dans "La nuit au Jardin des Plantes" les quartiers de Paris familiers à l'auteur, et aussi son goût pour l'insolite, l'ésotérisme. Ici, l'atmosphère est celle d'un rêve magique où le narrateur nous entraîne dans les rues du Ve arrondissement, dans des promenades qui en cercles successifs nous ramènent au labyrinthe du Jardin des Plantes et à son Museum d'histoire naturelle.

La nuit au Jardin des Plantes *

Ce jour-là je revenais de Vincennes — où j'étais allé revoir ma maison natale- dans une disposition d'esprit plutôt mélancolique. Ma déveine persistante au poker et un amour contrarié pouvaient expliquer mon découragement — mais surtout je me trouvais vivre une de ces heures qui, au déclin de la jeunesse, vous enjoignent d'établir votre bilan. Or je n'avais pas lieu de me montrer trop satisfait de cet examen en constatant combien j'avais mal tenu les promesses que je m'étais faites.

enjoignent *(littéraire)* : demandent

Le retour au pays de mon enfance et le rappel des rêves qu'elle avait nourris donnaient plus de relief à l'image de mes échecs.

J'évoquais la liste — elle était longue — des filles avec qui je n'avais pas su trouver le ton qui convenait ou le geste décisif — je passais en revue mes projets abandonnés par veulerie —, je pensais à tous les livres que j'avais décidé d'écrire et dont la substance s'était perdue en rêveries alors que je la tenais encore en moi.

veulerie : manque de volonté

Quelques brouillons illisibles, des notes éparses et le souvenir d'enchantements sans témoignage ne suffisaient pas à me rassurer sur mon compte : je savais trop bien comment les choses se passaient lorsqu'il s'agissait (pour moi) de choisir entre l'ombre et la proie!

choisir entre l'ombre et la proie : la locution est "lâcher la proie pour l'ombre"

Avec la tombée du soir je me laissais pourtant distraire de cette désolante résignation à ma médiocrité.

* *Œuvre* I, *"L'Arpenteur"*, Éditions Gallimard, 1990.

Revenu de Vincennes par la porte de Charenton j'avais échoué sur les quais de Bercy et le charme de ce quartier tranquille, voué au négoce des vins, transformait la couleur de mes pensées.

négoce : commerce

Accoudé au parapet je regardais les perspectives de la Seine et je me laissais entraîner dans le développement d'une fiction qui s'affranchissait de l'espace et du temps pour me conduire à Venise ou aux îles Sous-le-Vent, selon mon gré.

Cependant un quidam auquel je n'avais prêté que peu d'attention était venu se placer à côté de moi, contre la bordure de pierre. Sa voix me tira de ma contemplation.

quidam (ironique) : une personne quelconque

— Monsieur, me dit-il, vous avez tort de désespérer : j'ai en main les atouts qui vous manquent et je peux les glisser dans votre jeu sans que personne s'en doute...

atouts (figuré) : carte maîtresse, c'est-à-dire moyen de réussir

Je tournai les yeux vers cet empêcheur de rêver en paix : un homme déjà âgé mais d'aspect vigoureux. Vêtu d'une redingote désuète et coiffé d'un chapeau Cronstadt il rappelait la silhouette du président Kruger tel que je l'avais pu voir sur d'anciens numéros de L'Illustration.

désuète : démodée

Cronstadt : du port russe (Golfe de Finlande)

Kruger : Paul Kruger (1825-1904), président de la république du Transvaal, mena la guerre des Boers contre l'Angleterre (1899-1902)

Cet accoutrement, encore que d'une parfaite dignité, incitait à la circonspection et je me sentais peu enclin à lier conversation avec l'original; je m'apprêtais donc à poursuivre mon chemin, mais l'homme au chapeau Cronstadt me retint par le bras.

L'Illustration : hebdomadaire illustré populaire au début du 20e siècle

— Attention! me dit-il, c'est peut-être votre chance qui passe avec ma rencontre, réfléchissez bien : vous ne risquez pas grand-chose. Au reste s'il vous faut des garanties je puis vous en donner : je connais vos soucis comme si c'était les miens...

fit mine de : fit semblant de

Ici mon interlocuteur fit mine de tenir un jeu de cartes entre ses mains puis indiqua du doigt la place de son cœur en prononçant un nom : celui-là même de la personne qui me désespérait par son indifférence.

Je restai un moment stupéfait, essayant de comprendre ce qui m'arrivait.

— Banco, dis-je enfin — mais que voulez-vous au juste?

— Admettons provisoirement qu'il s'agisse d'un acte désintéressé, d'une fantaisie de ma part. Acceptez-vous de me rencontrer vers minuit devant le labyrinthe du Jardin des Plantes? C'est, à cette heure, un endroit propice aux confidences et il s'y passe quelquefois des événements peu communs...

Jardin des Plantes : jardin botanique et zoologique du Vᵉ arrdt.

J'étais trop déconcerté pour discuter l'opportunité de ce projet, néanmoins je gardai assez de réflexion pour faire observer à l'inconnu que l'accès du jardin serait alors, selon les us et coutumes, interdit au public.

us et coutumes *(ironique)* : le réglement

— Bien entendu, me dit-il — et c'est pourquoi j'ai choisi ce lieu de rendez-vous. Votre conception du contenant et du contenu est encore un peu trop rigide — mais ne vous préoccupez pas de la question : contentez-vous de vous promener tranquillement *autour* du jardin jusqu'à ce que vous vous trouviez soudain *dedans*. Vous verrez combien la chose est aisée dès l'instant où vous ne montrez pas trop de *mauvaise volonté...*

Je regardai mieux le personnage : aucune trace d'ironie ne se montrait sur sa figure rustique et débonnaire.

— Ainsi donc c'est entendu, reprit-il. Je me trouverai

au pied du labyrinthe. À ce soir. Mon nom est Jef Streck,
alias Oneïros.

Après quoi, m'ayant salué courtoisement, le sosie de Kruger
s'éloigna à grandes enjambées du côté de la Gare de Lyon.

J'allai dîner au Quartier latin puis je flânai dans les rues
de la montagne Sainte-Geneviève en réfléchissant à la proposition qui m'avait été faite. Elle était absurde, sans
contredit — mais un point me troublait : comment Sterck
— puisque tel était son nom — avait-il pu deviner aussi
exactement mes préoccupations?

Certes j'aurais été plutôt gêné de rencontrer un ami tandis que je mettais en pratique ses singuliers conseils — tel
l'avis de me promener autour d'un lieu entièrement clos en
attendant d'être soudain transporté à l'intérieur de son
enceinte. Mais, par ailleurs, la tentation de braver au moins
une fois le bon sens, avec impudence, me séduisait et je demeurais perplexe. Vers onze heures j'entrai dans un petit café
où je me fis servir plusieurs cognacs en écoutant jouer de
l'accordéon dans une arrière-salle.

En sortant je me dirigeai tout naturellement vers le Jardin
des Plantes. Était-ce l'effet de l'alcool que j'avais bu ou celui
de la complicité de l'ombre? Le fait est que je ne songeais
plus du tout à me conduire raisonnablement. Je ne récla-
mais rien de précis à ma déambulation et je ne pensais pas
que la proposition de Sterck fût devenue moins incongrue,
entre-temps, mais j'éprouvais une impression de vacance
qui laissait la porte ouverte à toutes les aventures.

Un peu avant minuit j'arrivai devant l'entrée princi-

déambulation *(rare)* :
promenade

pale du Jardin et je commençai à longer les grilles qui l'entourent, sur le quai Saint-Bernard. Comme je parvenais, sans songer à mal, devant la ménagerie, je subis un vacillement puis une rupture de ma pensée et je me sentis renaître en quelqu'un qui se trouvait, *lui*, de l'autre côté de la clôture.

ménagerie : zoo

Cependant — comment dire? — j'étais toujours lié à la notion d'un *moi* immuable, débordant de sa présence tous les changements possibles de l'être.

La révélation de ce qu'il y avait de relatif et d'instable, dans mon individualité, me traversa l'esprit avec une bouleversante acuité, l'espace d'un éclair — mais je ne m'y arrêtai pas plus qu'à mon surprenant passage à travers un milieu solide : désormais il n'y avait plus pour moi qu'à tout consentir en m'abandonnant à ma durée pure, satisfaite d'elle-même.

Le Jardin des Plantes offre déjà, pendant le jour, un des plus beaux paysages de Paris. Quand la nuit et la solitude s'en emparent il devient un territoire voué à l'enchantement.

D'un côté les ombres mouvantes des animaux y suscitent un monde insolite enclos dans la ville endormie — de l'autre l'ordonnance régulière des parterres baignant dans le clair de lune y déploie sans contrainte tous ses charmes.

parterres :
alignements de fleurs

Avec le départ du dernier promeneur une trêve s'est établie ici, comme dans tous les lieux abandonnés à eux-mêmes. La mystérieuse surveillance de la nature s'est relâchée, autour de cet îlot : peu à peu, rassurées par le silence et l'obscurité, les choses ont livré l'aspect secret qu'elles tiennent en réserve pour quelques circonstances exceptionnelles parfois dévoilées au noctambule stupéfait.

C'est celui que je devais leur voir, ce soir-là par une rare bonne fortune et la grâce du curieux personnage qui m'avait accosté, sur le quai de Bercy.

Lorsque j'y pense, maintenant encore, je me sens pris du même vertige...

Comme il me l'avait promis Sterck m'attendait auprès du labyrinthe.

— C'est parfait, me dit-il — vous avez tenu parole et j'en suis heureux pour vous : la nuit sera belle.

— Ne l'est-elle pas déjà? lui demandai-je.

Je le vis sourire.

— Sans doute, me dit-il — mais je l'entendais autrement. Venez; on nous attend. Et, me prenant par le bras, il m'entraîna vers les galeries d'anatomie.

Je crois me souvenir que nous y pénétrâmes par le moyen naturel d'une clé que Sterck tira de sa redingote : mais je n'en suis pas autrement certain car déjà tout devenait confus autour de moi.

La salle aurait dû se trouver plongée dans l'obscurité, mais chaque squelette semblait y produire une lumière phosphorescente — et l'endroit se transformait sous mes yeux en une forêt d'os et de cartilages enchevêtrés comme des lianes avec de longues voûtes figurées par les côtes des animaux.

Un bercement régulier me portait sous ces arcades et je sombrai à nouveau dans l'inconscience.

Quand je revins à moi le jour était levé et je me trouvai parcourant à cheval un pays inconnu. André HARDELLET

noctambule *(ironique)* : personne qui vit la nuit

galeries d'anatomie : où sont conservés des squelettes d'animaux

L'ADJECTIF DESCRIPTIF

I. Mettre l'adjectif entre parenthèses à la forme qui convient :

1. Vous me proposez une rencontre (discret) ------- ou (secret) ------- ?

2. La ménagerie est (magnifique) ------- ; elle contient des animaux

(rare) ------- , parmi lesquels des antilopes (africain) ------- et des tigres (royal) -------

3. Les animaux (sauvage) ------- ne sont pas toujours les plus (féroce) -------

ou les plus (cruel) ------- .

4. La partie est (important) ------- ; nous allons la jouer avec des cartes (neuf) -------

5. C'est un (vieux) ------- ami; j'ai une confiance (absolu) ------- en lui.

II. Utiliser les adjectifs entre parenthèses pour décrire le nom en italique; faire les accords et les modifications nécessaires :

Exemple : L'homme portait une *redingote* (vieux, démodé, usé).
L'homme portait une vieille redingote, démodée et usée.

1. Ma petite amie vient de s'acheter une *robe* (nouveau, bleu, blanc).

2. Je lui ai offert une *bague* (beau, ancien).

3. Ma *voiture* est (vieux, rouillé, poussif).

4. C'est un *désastre* (complet, brutal).

5. La *route* sera (long, fatigant).

LA COMPARAISON

III. Remplacer les tirets par :
que, (qu'), à, de (du)

1. Elle a acheté la robe la plus élégante ------- magasin.

2. Ta voiture est beaucoup plus rapide ------- la mienne.

3. Le Jardin des Plantes est un des endroits les plus agréables ------- Paris.

4. La guerre des Boers est antérieure ------- la Première Guerre mondiale.

5. Cette histoire est aussi mystérieuse ------- étrange.

EN RELISANT LE TEXTE

Relever dans la seconde partie de "La nuit au Jardin des Plantes" d'André Hardellet les adjectifs descriptifs; noter leur place vis-à-vis du nom qu'ils décrivent.

Antiquaire. XVIe arrondissement.

ROGER CAILLOIS

Né à Reims en mars 1913, Roger Caillois, après l'école Normale Supérieure, l'agrégation de grammaire et le Diplôme de l'école Pratique des Hautes études, obtenu en 1936, fait une carrière d'envoyé culturel en Amérique du Sud et de directeur de evues dans les années de la guerre et de l'après-guerre : *Les Lettres françaises, La France libre, Confluences, La licorne, Diogène*. Puis il dirige "La Croix du Sud", ollections d'auteurs sud-américains aux Éditions Gallimard. Il a notamment traduit 'ablo Neruda et Borges.

Il est en outre l'auteur d'essais, de l'édition des *Œuvres Complètes* de Montesquieu, tc.

Roger Caillois est mort en 1978.

Dans "Mémoire Interlope" nous errons à la suite du narrateur dans les rues qui ntourent la place Saint-Sulpice, à la recherche, entre rêve et réalité, d'un magasin 'antiquités qui n'a peut-être jamais existé.

MÉMOIRE INTERLOPE *

Interlope : n.m. navire effectuant un commerce interdit ou clandestin entre des territoires de souverainetés différentes.

brocanteur : personne qui fait le commerce d'objets plus ou moins anciens mais de moindre prix que ceux proposés par un antiquaire

Saint-Sulpice : place et rue du VIe arrdt.

Pollock : Jackson Pollock (1912-1956), peintre américain connu pour ses toiles abstraites

fouillis *(familier)* : désordre

L e souvenir du futile épisode émergea en pleine nuit tout soudain. Il m'assaillit avec une netteté d'autant plus extraordinaire que je l'avais complètement oublié et que j'étais même incapable de le situer dans le passé. Je n'en avais pas moins le sentiment de le revivre. Quelqu'un m'avait indiqué une sorte de brocanteur dont le magasin près de Saint-Sulpice tenait du commerce d'antiquités et de la galerie d'art. Il avait deux Pollock à vendre, qu'il me serait facile de me faire montrer. Comme je ne me rappelle pas m'être jamais intéressé à ce peintre, je suis porté à croire que le souvenir inattendu me renvoie à une époque de ma vie assez éloignée.

Il n'importe pas pour le moment. Le fait est que je m'étais rendu chez l'antiquaire à la première occasion. Les deux tableaux se faisaient face au milieu d'un fouillis inimaginable. Le plus petit était cependant mis en valeur par un relatif isolement. Il s'agissait d'une composition géométrique fort simple. Elle consistait en un cercle lumineux, presque blanc, sans doute crème ou ivoire (je ne pouvais pas bien distinguer dans la demi-obscurité de la boutique), qui chevauchait un rectangle bleu nuit aux deux tiers de sa hauteur environ et sans en atteindre l'autre bord. L'ensemble évoquait vaguement ce que je serais tenté d'appeler une éclipse inverse. L'autre

* la N.R.F., 1er mai 1968,
et *Case d'un échiquier*, Éditions Gallimard, 196

tableau accroché au milieu d'un monde d'objets hétéroclites était à demi recouvert de poussière. Il ne ressemblait en rien aux Pollock que je connaissais. Il est vrai que j'en connaissais fort peu. De facture impressionniste, il représentait une tête de jeune femme dont la chevelure sombre émergeait d'un taillis d'hortensias en fleur. Boucles et feuilles étaient fondues. Le jeu des reflets faisait que le noir des unes et le vert des autres se mêlaient en taches incertaines. De même, se répondaient les joues roses de la jeune femme et les boules des hortensias, du moins autant que la saleté qui recouvrait la toile me permettait d'en juger. Pour moi, je me serais plutôt imaginé en face d'un Goerg par exemple. J'en fis la remarque à la commerçante, une vieille peu soignée, aux manières et à l'aspect d'une femme de ménage. Elle m'assura que c'était une œuvre de jeunesse du peintre et qu'il en existait très peu de cette époque, d'où le prix élevé qu'elle en demandait. J'étais profane en la matière. Il me parut pourtant que les premières tentatives d'un peintre, avant qu'il ait trouvé son style propre, devaient normalement avoir moins de valeur que les compositions vraiment caractéristiques de son talent. Je me tus néanmoins et dis seulement que mes moyens ne me permettaient pas de mettre ce prix-là. La marchande me demanda le prix maximum que j'avais l'intention de consentir. Je lui répondis sans trop réfléchir, bien qu'en m'efforçant de ne pas avancer un chiffre ridicule : trente mille francs. Elle me laissa entendre que je ne trouverais pas de Pollock pour une pareille somme (j'en fus presque soulagé, car je n'avais au fond nullement l'intention d'acheter un

facture : style

Goerg : Edouard Goerg, peintre expressionniste français (1893-1969)

profane : ignorant

Pollock). Elle alla chercher dans l'arrière-boutique un tableau qu'elle prétendit intéressant et qui était en tout cas moins cher. En ouvrant la porte vitrée, elle fit tomber un tas de hardes qui pendaient du bec-de-cane. Je me précipitai pour l'aider à les ramasser. Ma femme, qui m'accompagnait, mais dont je n'avais pas perçu jusqu'alors la présence, en profita pour s'emparer d'une éponge qui traînait, pour la tremper dans un seau et pour, sans plus de façon, se mettre à grands gestes à laver le tableau empoussiéré. Aussitôt, ce fut une féerie. Les couleurs ressortaient avec une vivacité merveilleuse. Je croyais assister à un miracle et restai d'ailleurs sur cette impression, car je ne me souviens plus du tout comment et par quelles paroles nous prîmes congé de la propriétaire du capharnaüm. C'était pour moi comme un film brusquement interrompu. La dernière image était le tableau révélé, le ruissellement de l'eau sur les couleurs ressuscitées, en particulier sur la chevelure roux ardent de la jeune femme.

Je n'étais pas sans me tourmenter. Je m'inquiétais de ce qui n'avait pu me faire revivre à l'improviste, et avec une précision quasi hallucinatoire, un incident que son insignifiance aurait dû condamner à l'oubli définitif : après tout, les voies de la mémoire, non moins que celles de la Providence, peuvent se révéler impénétrables. Cependant, puisque ce souvenir était revenu à la surface, j'éprouvais le besoin de le replacer dans ma vie et d'en savoir un peu plus sur un intérêt pour la peinture de Pollock qui me paraissait aujourd'hui incompréhensible, sinon irréel. J'eus beau chercher, je ne trouvai rien. J'errai autour de Saint-Sulpice, jusqu'à la rue du

hardes : vieux vêtements

bec-de-canne : poignée d'une porte

quasi : presque

Dragon et jusqu'à la rue des Ciseaux, c'est-à-dire pour plus de certitude dans un périmètre plus étendu qu'il n'était nécessaire. Aucune trace de la boutique. Pourtant, je l'avais bien nette devant les yeux, peinte en noir, avec un filet blanc comme les succursales des entreprises de pompes funèbres. Ce ne devait pas être d'aujourd'hui qu'elle était disparue, car je passe assez souvent dans le quartier. Si je l'avais vue, elle n'aurait pas manqué de me rappeler alors mon ancienne visite. Il y avait donc longtemps qu'elle avait été transformée en un autre magasin, une charcuterie, une librairie ou, peut-être, un autre commerce d'antiquités, mais avec une façade toute différente, comme je constatai qu'il était arrivé par exemple, place Saint-Sulpice même, à la grande boutique de porcelaine qui faisait le coin de la rue Bonaparte et dont je me souvenais maintenant parce que son nom, une latinisation maraconique de bric-à-brac, m'avait naguère amusé.

latin macaronique :
imitation comique du latin

bric-à-brac :
entassement d'objets divers, brocante

Si j'avais su l'emplacement exact du magasin aux Pollock, j'aurais pu demander aux commerçants d'à côté à quelle époque il avait été transformé. Mais je n'avais pas cette ressource, car si ma mémoire me représentait, comme je l'ai dit, fort distinctement la boutique elle-même, je ne me rappelais pas, en revanche, dans quelle rue elle était située, ce qui rendait pratiquement impossible toute enquête sérieuse.

naguère *(littéraire)* :
récemment

Cette voie fermée, j'en cherchai une autre.

Je m'avisai que je devrais essayer de déterminer l'année où une toile de Pollock de dimensions plutôt modestes valait plus de trente mille francs, mais sans que ce prix parût invraisemblable de bon marché. Je consultai le répertoire de Bénézit. J'y trouvai de nombreuses cotes. Je me heurtai, hélas, à une autre difficulté. Les prix étaient chaque fois procurés en monnaie de l'époque dont la valeur, l'année de la vente de la toile considérée, était malaisément calculable : de sorte que trois mille francs en 1925 pouvaient représenter beaucoup plus que les trente mille francs que j'avais proposés.

Bénézit : répertoire des peintres et des tableaux passés en vente

cotes : prix indiqués

procurés : indiqués

En outre, je m'en apercevais maintenant, si je m'étais certainement exprimé en anciens francs, je n'étais pas sûr du tout que les trente mille francs de mon souvenir fussent des francs de l'époque à laquelle il se rapportait. Peut-être ne m'étais-je pas rappelé avoir avancé effectivement le chiffre de trente mille francs, mais avoir avancé une somme correspondant approximativement à trente mille francs d'aujourd'hui (ou plutôt d'hier, car, je continue à compter en francs anciens). S'il en était ainsi, je perdais le seul repère qui pût m'aider à déterminer la date de ma visite chez l'antiquaire, car trente mille francs actuels avaient eu de multiples équivalents dans le passé, de sorte que, même en faisant le calcul, les indications de Bénézit ne me servaient plus à rien. En réalité, je me trouvais en face d'un cercle vicieux : j'attendais du chiffre de trente mille francs une indication sur la date de ma visite et c'était la date de ma visite qui seule pouvait me renseigner sur ce que pouvaient alors représenter trente mille francs.

anciens francs : en 1959, 100 (anciens) francs sont devenus 1 (nouveau) franc

Je cherchais des monographies et des articles consacrés

à Pollock, dans l'espoir d'y rencontrer quelque indice qui ferait enfin surgir un pan de ce passé déserteur. Je n'y trouvais pas grand-chose, sauf, à ma grande surprise, une reproduction en noir et blanc du tableau géométrique, dans le numéro d'une revue que j'avais feuilletée le jour même où la séquence du souvenir énigmatique vint si opinément interrompre mon sommeil. Sans doute était-ce cette reproduction qui en avait déclenché le retour. Mais pourquoi pas aussitôt? Pourquoi cet intervalle? Je m'expliquais mal que le cliché n'eût pas sur-le-champ alerté ma mémoire, qu'il ne lui ait pas fait, pour ainsi dire, le moindre signe. Je me souvenais l'avoir regardé avec indifférence et certainement persuadé de le voir pour la première fois. Je présume qu'il faut un lent cheminement pour réveiller dans l'inconscient un souvenir qui s'y trouve profondément et depuis longtemps enfoui.

Les études sur Pollock que des amis m'avaient obligeamment indiquées, ne disaient presque rien sur les premiers tableaux du peintre. En particulier, elles ne signalaient nullement qu'il eût peint la moindre toile dans la manière impressionniste. C'était du reste peu vraisemblable. Je m'étonnais que l'idée ne me fût pas venue d'en faire la remarque à l'antiquaire quand elle me présenta le tableau comme une œuvre de jeunesse de l'artiste. J'aurais pu, au moins, lui demander la preuve ou les raisons de son attribution. Je n'y avais même pas pensé. Je n'avais pas pensé non plus à regarder si le tableau était signé. Je m'efforçai de le revoir. Il m'apparut avec la même netteté qu'auparavant, lorsque me redressant, les oripeaux tombés à la main, j'avais aper-

un pan : une partie

le cliché : la photo

sur-le-champ : aussitôt

oripeaux : vieux vêtements

çu ma femme en train de le laver. Elle se haussait sur la pointe des pieds pour atteindre la partie supérieure et en balayait la surface avec son éponge, sans parvenir, tant les dimensions de la toile étaient grandes, à en couvrir toute la largeur d'une seule allée et venue de son bras. Comme lors de la première évocation, les couleurs s'avivaient magnifiquement à mesure que l'eau enlevait la poussière. Je revoyais la scène, telle qu'elle s'était présentée spontanément à mon souvenir. Simplement, cette fois, je m'émerveillais moins du prodige des couleurs renaissantes, puisque j'en étais averti. Je ne pensais pas non plus à vérifier la présence ou l'absence d'une signature. D'ailleurs, je n'aurais pu la voir, puisque je ne l'avais pas remarquée la première fois et que je ne pouvais évidemment revoir que ce que j'avais déjà enregistré. À vrai dire, autre chose me frappait : le format du tableau qui maintenant occupait la majeure partie de la paroi où il était accroché, en contradiction absolue avec les dimensions qu'il avait quand j'étais entré dans la boutique. Je soupçonnai un instant que mon évocation dirigée avait agrandi un fragment de l'image que j'avais rappelée, comme le photographe agrandit le détail intéressant d'un cliché. Pourtant, j'étais sûr qu'il n'en était rien : les deux images étaient rigoureusement les mêmes, et non pas la seconde une partie de la première. Quand la scène m'avait été restituée la première fois, elle se présentait déjà comme je venais de la revoir. Il n'y avait déjà plus autour du petit tableau du début cette multitude d'ustensiles disparates accrochés sans ordre. La toile énorme recouvrait à elle seule la paroi. Comme une tapisserie.

Une telle métamorphose est impossible. Elle n'arrive que dans les rêves ou par l'artifice d'un illusionniste professionnel. Dans le cas particulier, c'était aux démarches, propriétés et flexibilités de la mémoire que je devais m'en prendre. Car il fallait que je m'en prenne à quelque chose. Je n'ignorais certes pas que la mémoire ne se contente pas de reproduire, qu'elle trie et qu'elle transforme les souvenirs, mais je n'imaginais pas que ce fût dans cette proportion et avec pareille désinvolture : presque dans le même moment, elle m'avait présenté deux apparences entièrement distinctes du même mur, le même tableau dans deux formats différents et chaque fois d'une manière si persuasive que je ne me serais même pas aperçu de la contradiction, si je n'avais été amené par une tout autre raison à évoquer de nouveau la dernière venue de ces images, que j'avais alors — presque par hasard — confrontée à l'antérieure.

Je me demandais à la fin si chacun ne se fie pas à sa mémoire par légèreté ou par paresse, presque par habitude, mais fort indûment, si l'on y réfléchit.

Je m'effrayais qu'un filtre si déformant fût précisément celui par lequel tout devait nécessairement passer, depuis les rêves jusqu'aux raisonnements. Même le sentiment de la durée en était dépendant. Rien n'empêchait la mémoire de dilater un instant jusqu'à le faire paraître interminable ou à loger par fantasmagorie dans une seconde réelle des événements qui auraient demandé plusieurs jours ou plusieurs semaines pour s'accomplir. Je n'allai pas jusque-là, mais le sans-gêne de la mémoire avec les souvenirs, sa façon de les présenter,

le sans-gêne : la liberté

de les manipuler m'inquiétait. Au moins étais-je un peu consolé par le fait dont je venais d'avoir la preuve que l'esprit avait la ressource de déjouer les retouches de cette faculté trop accommodante et d'en contrôler par conséquent, au moins dans une certaine mesure, l'arbitraire alarmant. Je me trouvais heureux de disposer d'une puissance régulatrice, capable de repérer et de tempérer les libertés et effronteries que je voyais bien qu'avait coutume de prendre une faculté qui n'avait pourtant de prix que si on pouvait être assuré de sa fidélité. Sans quoi, trompé sur un point, les dimensions du tableau j'aurais pu imaginer l'avoir été pour tous les autres. J'aurais pu croire que tout mon souvenir n'avait été qu'un songe et que Pollock était un nom que j'avais inventé.

Heureusement, il existait ce balancier vérificateur, ce discriminant dont je viens de parler. Rassuré, je me rendormis, sans peut-être avoir été auparavant réveillé tout à fait. Tels sont les chassés-croisés de la conscience et de la nuit, leurs prévarications inextricables. La barque chavire, le nautonier surpris ne peut que demeurer perplexe. En tout cas, le problème qui m'avait préoccupé perdit d'un coup son acuité. Je ne me souciai plus de savoir si j'avais eu ou non un jour de l'intérêt pour la peinture de Pollock. J'appris peu après avec indifférence qu'il était mort depuis plus de dix ans et d'autres détails, qui me laissèrent tout aussi distrait. Maintenant, c'est presque pour moi comme s'il n'avait jamais existé de peintre du nom de Pollock. À son égard, je suis comme neuf.

Roger CAILLOIS

balancier vérificateur *(figuré)* : comme le balancier qui régularise le mouvement d'une horloge

discriminant : qui établit une séparation

chassés-croisés : déplacements réciproques

prévarications *(littéraire)* : actes de mauvaise foi

le nautonier *(vieux)* : celui qui dirige le bateau, la barque
acuité : intensité

plus de dix ans : en 1956

Quartier du Marais. IIIe arrondissement.

LES ARTICLES

I. Insérer ou non l'article :
le, la l', les

1. Le magasin d'antiquités est fermé ------- lundi.

2. L'arrière-plan du tableau mêle ------- mauves et ------- bleus.

3. Que préférez-vous, ------- art abstrait ou ------- art figuratif?

4. Je n'ai pas étudié ------- peinture, mais j'aime bien ------- peintre

   dont vous m'avez parlé.

5. Est-ce que tu as toujours mal à ------- gorge? Moi, j'ai mal à ------- tête.

II. Insérer ou non l'article :
un, une, des (de, d')

1. Quand j'étais ------- étudiant, je n'avais pas ------- amis.

2. Nous avons parlé à ------- étudiantes qui revenaient

   de la bibliothèque.

3. Elles en rapportaient ------- vieux livres.

4. C'est ------- excellent joueur d'échecs.

5. Il a ------- frère, mais il n'a pas ------- sœur.

III. Insérer ou non l'article :
du, de la , de l', des (de, d')

1. Tu veux acheter ------- pain et ------- fromage pour déjeuner?

2. Je n'ai pas assez ------- argent pour t'inviter.

3. Prenons au moins ------- café.

4. Merci, mais je ne prendrai pas ------- café aujourd'hui.

5. Je voudrais ------- eau minérale, ------- salade et ------- fruits.

Relever dans "Mémoires interlope" de Roger Caillois tous les verbes au subjonctif; préciser leur temps et leur valeur.

Quartier Saint-Germain. VIᵉ arrondissement.

JEAN-MARIE LE CLÉZIO

Jean-Marie G. Le Clézio est né à Nice, en 1940. Avec son premier roman, *Le Procès-verbal*, il obtient en 1963, le prix Théophraste Renaudot. *La Fièvre*, paru en 1965, toujours aux Éditions Gallimard, est un recueil de textes. *Le Déluge*, en 1966, *Terra amata* et *L'Extase matérielle*, en 1967, *Le Livre des fuites*, en 1969, *La Guerre*, en 1970, *Les Géants*, en 1973, ignorent les conventions du roman pour présenter une vision poétique de la réalité. Le Clézio séjourne alors en Amérique centrale, tout en continuant d'écrire : *Voyages de l'autre côté* (1975), *Les Prophéties du Chilam Balam*, tiré d'un texte maya (1976), *L'Inconnu sur la terre*, sorte d'essai (1978), *Mondo et autres histoires*, recueil de contes (1978). *Désert*, en 1980, poursuit l'abondante et originale production romanesque de Le Clézio. Se succèdent alors *Trois Villes saintes*, *La Ronde et autres faits divers*, *Relation de Michoacan*, *Le Chercheur d'or*. Plus récemment : *Voyage à Rodrigues*, journal (1986), *Le Rêve mexicain ou la pensée interrompue*, *Printemps et autres saisons*, nouvelles (1989) et *Onitsha*, roman (1991). Dans "Le jour où Beaumont fit connaissance avec sa douleur" tiré de *La Fièvre*, J.-M. G. Le Clézio analyse le fonctionnement du corps quand il est détraqué, ici par une rage de dents. C'est toute l'intrigue d'une nouvelle qui relate quelques heures de la vie du personnage principal, Beaumont. L'apparition puis l'aggravation de la douleur chez Beaumont sont le contrepoint de toutes ses pensées, de son univers banal au milieu d'une ville anonyme qui peut être ou Nice ou Paris.

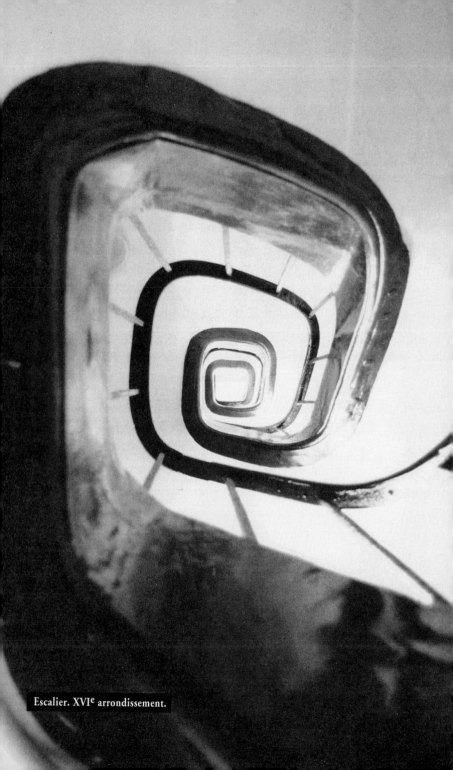

Escalier. XVIᵉ arrondissement.

La première fois que Beaumont dut faire connaissance avec sa douleur, ce fut au lit, vers quelque chose comme trois heures vingt-cinq du matin. Il se retourna sur le matelas, péniblement, et sentit la résistance des couvertures et des draps qui participaient à son mouvement de rotation, mais d'une façon incongrue, en s'y opposant. Comme si une main invisible avait tordu les tissus autour de son torse et de ses hanches immobiles. Après quelques minutes, ou quelques secondes, il essaya, les yeux fermés, de se dégager en tirant avec sa main gauche sur les plis de son pyjama et sur les torsades des draps. Il ne réussit qu'à se rendre davantage prisonnier, et, la mauvaise humeur le gagnant, il rua dans l'enchevêtrement de ce qui devait ressembler de plus en plus à une camisole de force. Ses deux pieds percèrent à la fois et surgirent au bout du lit, livides, plongeant d'un seul coup dans le froid. Les derniers restes de la paresse, l'engourdissement du sommeil, sans doute, le maintinrent encore dans cette position; mais le sentiment d'un inconfort sournois, un malaise très intellectuel et cependant physique, grandit dans son esprit. Son cerveau recommençait à fonctionner. Des images fugitives, à peine tracées, s'allumaient et s'éteignaient sur ses rétines, à l'abri des paupières jointes, comme des enseignes au néon. Il y avait une barque en bois qui dérivait sur une rivière brumeuse, et il ramait de toutes ses forces, puis il savait qu'il

incongrue: inhabituelle

ruer: donner un coup de pied (comme un cheval)

camisole de force: veste destinée à immobiliser les aliénés

était sur cette barque, et l'histoire commençait : naturellement, la barque chavirait, l'île nageait doucement vers lui, et des plages, des plaques de vase s'infiltraient sous son ventre et le portaient avec de doux chatouillis. Ou bien ses pas qui martelaient le trottoir, en cadence, en légèreté, et d'autres pas, d'autres jambes survenaient, la présence dansante d'une jeune femme dont il ne parvenait pas à surprendre le visage, mais qui devait avoir des sortes de longs cheveux blond roux et des bras nus très blancs, presque lumineux. Des mots de phosphore naissaient en silence, enfouis au plus profond de sa tête, vers la nuque peut-être, et ces mots s'allumaient et s'éteignaient, eux aussi, dans la nuit du vide préhistorique, prêts à s'organiser en phrases, prêts à moduler ses propositions circonstancielles, conjonctives, interrogatives. Comme si des points de suspension les avaient ligotés entre eux. Quand Beaumont sentit que cette invasion, loin de faiblir, précipitait sa course et progressait de façon continue, il comprit qu'il ne pourrait plus dormir. Ses paupières tremblèrent, se resserrant encore de temps en temps, mais nerveusement, puis, tout à coup, sans qu'il ait pu savoir comment et pourquoi, ses yeux furent grands ouverts. Contrairement à ce qu'on lui avait toujours dit : il faut un certain temps pour que la rétine s'habitue à l'obscurité et pour qu'on distingue les choses, Beaumont vit tout, et d'un seul coup. Il était couché sur le côte droit, à cause du cœur, et la chambre lui apparut comme en plein jour, à cette différence que la lumière avait été remplacée par l'obscurité. C'était une chambre dans le genre d'un négatif de photo,

avec un haut plafond noir, quatre murs et un plancher gri-
sâtres, et une nuit blanche qui entrait par bandes à travers
les volets. Beaumont resta couché sur le côté, les yeux
ouverts, parfaitement immobile dans les nœuds et les
strangulations de ses draps. Le bruit de sa montre l'atteignit
enfin, progressivement, comme si cela avait été une fuite dans
un tuyau d'eau, dont chaque goutte se serait attachée à la
précédente pour fabriquer une espèce de stalactite mouvante
s'insérant millimètre après millimètre dans sa matière grise.
Il entendit "tic-tic, tic-tic, tic-tic, tic-tic, tic-tic" et rejeta les
couvertures à ses pieds. Il alluma la lampe de chevet et lut
l'heure : trois heures trente-deux du matin. Il y avait donc
environ sept minutes qu'il avait fait pour la première fois
connaissance avec sa douleur, et il ne le savait pas.

Beaumont se leva, traversa le corridor et les pièces
sombres, urina, but un grand verre d'eau glacée dans le réfri-
gérateur. En retournant vers sa chambre, ses deux pieds nus
appliqués alternativement sur le parquet humide, il sentit
vraiment qu'il se passait quelque chose. Depuis qu'il était
réveillé, il avait compris confusément qu'il y avait un détail
anormal, en lui, ou ailleurs, qui avait pris possession de son
esprit. Impossible de savoir quoi exactement; c'était un peu
comme l'idée d'un changement, mettons la pluie qui
tombe brusquement dehors, ou le souvenir du fracas d'un
accident, entre deux voitures, en bas, près du carrefour. Au
lieu de retourner dans son lit, et de profiter de la place chau-
de qu'il y avait creusée, il marcha jusqu'à sa table, tira une
chaise et s'assit. Il frissonnait, le pyjama de finette était trop

strangulations :
étranglements

stalactite :
bloc solide formé par le
calcaire déposé goutte à
goutte dans les gouffres
et cavernes par l'eau
de ruissellement

corridor : couloir

fracas : bruit violent

finette :
étoffe de coton

léger pour la saison. Mais le froid, le silence, ni rien d'extérieur ne pouvait le décider à bouger. Il était préoccupé par un vide intense, qui l'habitait tout entier à présent, et le maintenait dans cette posture méditative, la tête dressée, les deux bras appuyés sur le bord de la table. Il regardait droit devant lui, dans la direction du mur d'en face, respirant à peine; son cerveau, bizarrement, était devenu une drôle d'espèce d'animal, un ver, par exemple, et cet animal se retournait sur lui-même, à la recherche d'une chose inconnue. Cette bête froide rampait imperceptiblement, puis s'immobilisait, et tordait peu à peu son corps trapu pour regarder en arrière. Pas d'yeux, mais des semblants d'antennes, ou des cornes d'escargot, saillaient tranquilles hors de la masse cartilagineuse et se posaient avec délicatesse sur la paroi crânienne, sur l'objet tapissé de méninges rosées. Beaumont comprit brusquement que ce ver cotonneux qui se tordait dans sa tête, c'était son cerveau, c'était son intelligence, c'était lui-même; il sentit alors une peur inconnue l'envahir, un sentiment précaire et honteux, qu'il n'avouerait probablement à personne. Il prit de sa main droite un miroir cassé qui traînait sur la table, au milieu des papiers, et il se contempla. Il vit son masque anonyme, trente-cinq-quarante ans, aux traits faibles, ses joues ni grasses ni maigres où la barbe avait déjà poussé, comme sur la face d'un mort. Il écarta ses lèvres et vit ses incisives, enfoncées dans les gencives au milieu d'un léger anneau de tartre. Puis ses yeux, vraisemblablement bleus, fixes dans la masse de chair ridée, pareils à des yeux de poupée. Son front à peine

ramper : avancer comme un ver, un serpent

trapu : massif

semblants : sortes

saillaient : sortaient

méninges : membranes qui enveloppent le cerveau

masque *(figuré)*: visage

fuyant, ses cheveux, ses oreilles, ses narines, ses deux dépressions symétriques à la place des condyles. Il vit son menton, les commissures des lèvres, la cicatrice d'un ancien grain de beauté, et surtout, de plus en plus, il vit sa peau, cette étendue de peau blanche, perforée de trous, hérissée de poils, la peau élastique et saine, la peau flétrie et brunie, la peau où se forment les pustules et les boutons de fièvre, ce tissu d'inflammations et d'eczémas, cette extraordinaire carte qui était la sienne, et où il se perdait, semblable à un moucheron minuscule en train de marcher sur un corps. Quand il bougea à nouveau, ce fut pour allumer une cigarette; il aimait se regarder fumer; aussi, il cala le miroir sur la table, contre une pile de livres, et inséra lentement une cigarette entre ses lèvres. Mais, cette nuit-là, il ne parvenait pas à refaire les gestes habituels selon l'ordre. Il ne tremblait pas, non, mais il n'arrivait pas à se voir. Tout se passait trop vite. Il aurait fallu recommencer, encore, encore, remettre la cigarette dans le paquet, le paquet dans le tiroir. Puis reprendre le paquet, très naturellement, y glisser le pouce et l'index en forme de pince, et choisir la cigarette qu'il voulait. La porter à ses lèvres, avec une suite perceptible de mouvements d'ascension de l'avant-bras, le coude fiché sur le rebord de la table. Casser une allumette dans la pochette de carton et la gratter du haut vers le bas. Il aurait fallu que l'allumette brûle, rien qu'une fois, mais une bonne fois, définitivement. Et qu'elle embrase l'extrémité de la cigarette, et qu'elle s'éteigne, et que la cigarette fume, fume, dans sa bouche et dans sa gorge, comme un beau geste dramatique. Au lieu

condyles : crête osseuse d'une articulation (ici de la mâchoire)

caler : fixer

fiché : planté

embraser : mettre le feu à

de cela, tout se faisait distraitement, comme si ce n'était pas lui qui fumait, qui allait fumer, qui avait fumé, mais quelqu'un d'autre, celui du miroir, par exemple. Beaumont cessa de regarder le morceau de glace brisée. Il repoussa son buste en arrière et s'appuya contre le dossier de la chaise. Dehors, dans le froid et dans l'indifférence, dans l'illumination électrique des rues, un bruit de cascade descendait. Des nappes de bruit, déchirant le silence, qui s'étalaient le long des trottoirs, résonnaient contre les ailes des voitures, rebondissaient de mur en mur, arrachaient des lambeaux aux affiches. C'était la pluie, ou quelque chose du même genre. Peut-être un arroseur public, peut-être une gouttière crevée. Beaumont respirait la fumée de sa cigarette, et ses yeux étaient fixés sur le toit de la table. Avec des picotements douloureux, il déchiffrait les objets épars, les cendriers pleins de cendres, les crayons à bille pêle-mêle dans une vieille boîte de conserves, deux ou trois dessous de verre en carton, et des centaines de feuilles de papier, amoncelées les unes sur les autres. Un feuillet jaune, au premier plan, attira son regard de quelques centimètres, et il se trouva en quelque sorte obligé de lire, avec une peine et un soin infinis :

Nous, nous ne sommes ni des ennemis de notre pays, ni des idéalistes nébuleux, mais des Français pour qui le réalisme consiste à travailler pour la paix avec les armes de la paix, qui sont la vérité, le don de soi et l'amitié avec tous.

Nous nous sentirions obligés à la même protestation pour des détenus appartenant à tout autre parti, classe, nation, confession ou race, car notre action est un témoignage de conscience.

Trente volontaires.

arroseur public : appareil d'arrosage

gouttière : canal destiné à recueillir l'eau de pluie le long des toits

amoncelées : entassées

détenus : prisonniers

Quand il eut terminé, il s'aperçut qu'il était grand temps, car déjà il ne pouvait plus lire. Dans sa tête, enfoui au fond des membranes rouges des méninges, le gros ver inquiet s'était tordu sur la dernière ligne de la feuille jaune, et il passait son temps à compter les pointillés, à les palper un à un de ses ventouses opaques et de ses antennes blettes. Il les comptait et les recomptait inlassablement, comme si plus rien d'autre n'avait eu d'importance sur terre que cette succession de points, de tirets plus exactement, et comme à la recherche d'un nombre mystérieux, dont il approchait à chaque seconde, qui donnerait enfin une définition à toute la feuille, à tous les papiers écrits ou dessinés, à toutes les confessions, à tous les romans et à toutes les lettres du monde, un nombre pur et majestueux qui paralyserait enfin l'infatigable et haineux mouvement des apparences. Les yeux vides, le visage figé et stupide, Beaumont, tête en avant, cigarette en train de s'éteindre entre deux doigts de la main gauche, semblable à l'homme du miroir, balbutia à haute voix le nom de ce chiffre :

"Quarante-trois."

Et le mal aux dents s'arrêta.

Ce fut un passage tout à fait mystérieux, je pense, et à peu de chose près fatal. Ce qui n'avait été jusque-là que brouillard, balancement, malaise comme une mer houleuse, dont on ne sait si c'est elle ou si c'est vous qui souffrez, en roulis, en tangages, cette nausée visuelle qui rend âpres et maladifs des kilomètres carrés de vagues et de ciel, tout cela

blettes : qui ont l'aspect mou et la couleur rougeâtre d'un fruit trop mûr

houleuse : agitée de vagues

roulis : mouvement transversal du navire dans les vagues par opposition au tangage : mouvement longitudinal

s'éclaircit, et un genre de soleil pointu, un mal précis, se mit à éclore. Dans tout le visage de Beaumont, cela avait une place précise; c'était dans la mâchoire, au fond de la bouche, probablement sous la dent de sagesse ou sous la molaire dévitalisée, à gauche. Rien de bien grave, pour l'instant. Juste une petite douleur, sèche et définie, peut-être un bouton sur la gencive, ou bien une névralgie éphémère, que le simple contact d'un cachet d'aspirine sur la langue suffirait à dissiper. Beaumont redressa son torse, écrasa la cigarette éteinte au fond d'un cendrier en fer. Il reprit le miroir brisé, mais de la main droite, cette fois. Il ouvrit la bouche et regarda à l'intérieur. Ce n'était pas très facile, à cause de la buée; il prit un mouchoir sale sur la table, essuya le morceau de glace, et, retenant son souffle, les poumons gonflés comprimant les fosses nasales jusqu'à laisser sourdre un mince filet d'air qui s'échappait par les narines, il orienta le reflet de l'ampoule électrique vers le fond de sa bouche. Mais il ne distingua rien d'anormal. La plupart des dents étaient plombées, évidemment, mais les gencives semblaient saines. Beaumont changea le miroir de main, et, à l'aide d'un crayon à bille, il se mit à cogner toutes les molaires du côté gauche, afin de déceler la source exacte de son mal. En vain. Sous le choc, toutes les dents se révélaient également sensibles, mais sans plus. Il ne pouvait donc pas s'agir d'une carie à proprement parler. Utilisant le même crayon à bille, Beaumont se mit à frotter les gencives, autour de la molaire et de la dent de sagesse. En vain également. Certes, la sensibilité était plus

dévitalisée :
dont le nerf a été ôté

sourdre *(littéraire)* **:**
couler

plombées : obturées
avec un alliage de plomb

cogner : frapper

carie :
petite cavité dentaire

grande autour de ces deux dents, mais on n'aurait pu qualifier cette sensibilité de douleur.

C'était plutôt la réponse normale d'une dentition travaillée par la pyorrhée alvéolaire, par la gingivite et les névralgies de tout genre. En tout cas, rien d'un abcès. Beaumont reposa le miroir, à demi rassuré. Pendant un instant, même, il lui sembla aller mieux. Il se recoucha dans son lit et éteignit la lumière. Mais dans sa tête couchée sur l'oreiller, le mal se réveilla soudain, avec une telle intensité qu'il se mit à grogner. Beaumont n'hésita pas; il ralluma, sauta hors du lit et fouilla dans le tiroir de sa table. Il en sortit un tube d'aspirine et deux somnifères. Puis il retourna dans la cuisine, avala les cachets, plus un grand verre d'eau glacée, urina encore et revint. Il attendit un moment debout que les médicaments aient pu descendre le long de l'œsophage, et il se recoucha. Il attendit comme ça, caché au milieu des draps, que vienne le miraculeux passage, la fusion de tout son être dans un espace liquide, le chaos diluvien en forme de fanfare, cette traîtrise qui retournerait ses yeux dans ses orbites et lui montrerait au loin, très loin, comme à travers la pluie, le giboyeux présent des songes. Mais la douleur, car c'était une douleur, à présent, avait encore sensiblement augmenté. Et déjà, le visage mobile, une espèce de sueur légère mouillant la paume de ses mains et les côtés de ses pieds, Beaumont sentit s'ouvrir devant lui les portes d'un monde inconnu et tragique, un monde où l'inquiétude est une beauté, un paysage exaspéré que hante le souvenir de l'autre terre, là où règnent le calme et le bien-

pyorrhée, gingivite
(termes médicaux): inflammation des gencives

diluvien: du déluge

giboyeux :
où il y a du gibier

hanter :
obséder, poursuivre

être, les animaux aux yeux clairs, le silence aquatique des nerfs. Il sentit déjà la tristesse monotone de ce voyage, l'arrachement aux demeures d'autrefois et la chevauchée future vers un petit enfer à l'espace réduit; les souvenirs des nuits bien rondes, les doux oublis du temps passé, murmuraient en lui des plaintes nostalgiques, pareilles à de longues rivières bordées de saules où les malards volent bas, entre les haillons de fumées. Dehors, le bruit des nappes d'eau avançait toujours, le long des rues du carrefour. Une automobile passait parfois, traçant des sillons sonores sur le macadam. Ou bien des pas d'homme martelaient le sol, tranquilles, nés de rien et s'acheminant vers rien.

malards : canards

haillons (*figuré*) : traînées

Beaumont se rejeta sur le lit, en boule; espérant quand même quelque chose, je ne sais pas quoi exactement, des osmoses d'acides, des assimilations de glutéthimides, le sommeil, la paix, sans doute. Le mal s'éloigna effectivement; les images se firent plus rares sur ses rétines; une torpeur artificielle, au goût un peu amer, envahissait Beaumont. Un très long immeuble se mit à défiler, toutes fenêtres dehors; la chute semblait éternelle, ou presque. Mais, vers quelque chose comme le trois mille six cent quarantième étage, Beaumont rencontra le trottoir. Sa jambe gauche porta la première et se brisa net. Puis le reste du corps bascula, pivotant autour d'un axe invisible. Le sol frappa le flanc droit, l'épaule, la tête. Il y eut encore deux ou trois dixièmes de seconde, comme des spasmes, et tout fut terminé. Le sang mort sortit par les yeux, les narines et les oreilles, et coula doucement dans la rue, docile, selon la déclivité du ruisseau.

déclivité : pente

Beaumont avait retrouvé son mal. L'aspirine n'avait pas fait d'effet, ou à peine. En une demi-heure, la douleur avait quintuplé. Ce n'était plus un point précis de la mâchoire, à présent, autour de la dent de sagesse et de la molaire dévitalisée, mais une zone tout entière, qui s'étendait de l'oreille gauche à la pointe du menton. Dans cette zone, tout vibrait; des ondes incompréhensibles allaient et venaient sans cesse, pareilles à des vagues, puis se brisaient à leurs points d'interférence. Il semblait que cette moitié de mâchoire avait soudain grandi, dans le noir, repoussant tout ce qui l'entourait. Une construction baroque, faite de ciment et de barres de fonte, prolongeait maintenant la joue de Beaumont. C'était un poids réel, qui oscillait dans l'air de la pièce, à chaque mouvement de la tête, et menaçait d'entraîner tout le reste du corps dans une chute sans fond, à travers matelas, planchers, étages, canalisations, croûte terrestre, etc. Il fallait donc garder continuellement l'équilibre et serrer les dents les unes contre les autres, plus fort, plus fort. Beaumont ouvrit les yeux. Malgré la nuit, malgré la douleur, la chambre était toujours aussi nette, dessinée jusque dans le moindre détail. Mais, à présent, il semblait que chaque objet, chaque meuble, chaque surface de plastique ou de bois avait un aspect neuf; les angles étaient plus sûrs, les ombres et les blancs plus contrastés; c'était cela, oui, tout était plus évident. Tout avait un soin maniaque, à présent, une volonté d'être soi jusqu'à la limite; les livres étaient des livres presque caricaturaux, avec leurs couvertures neuves et la colle de la reliure luisant brutalement. La

fonte : fer

maniaque : extrême

trapues :
courtes et épaisses

pachyderme *(ironique)*:
éléphant

trompe d'Eustache *(terme médical)* **:** canal de l'oreille moyenne
bachot : baccalauréat

Isaac Newton : physicien, mathématicien et astronome anglais (1642-1727)

endolorie :
rendue douloureuse

table était une table imbécile, quatre jambes trapues supportant la plaque de bois avec une force bien au-delà du nécessaire. La bouteille d'alcool contenait comme elle n'avait jamais contenu auparavant; elle ne faisait même que cela, contenir, contenir. Le plafond avait des grâces ridicules de pachyderme, posant avec légèreté sa masse verdâtre sur les quatre murs, tout à fait comme un DC-8 en train de décoller. Les volets étaient clos derrière les fenêtres, mais avec quelle précaution, avec quelle minutie! Et les vitres étaient transparentes, comme un banquier est honnête. Et l'air était l'air, oxygène + ozone + gaz carbonique + azote. Et la chambre était la chambre, rien d'autre, grave, sérieuse, appliquée à sa tâche. Les lois de la pesanteur étaient parfaites, il n'y manquait rien, absolument rien, ni chute des poussières venues des corniches de plâtre, ni compressions des canaux semi-circulaires, près des trompes d'Eustache, pour ressembler à une dissertation de bachot sur les théories de Newton. Beaumont, allongé sur la joue, regardait tout et goûtait tout; sur sa mâchoire gauche, il travaillait à maintenir en équilibre cet immeuble de béton armé, ce somptueux édifice de plan courant, comme si l'avenir d'une ville entière en avait dépendu. Maintenant, c'était son corps qui vivait dans cette maison, il avait fait de sa mâchoire endolorie une coquille, un habitacle immense et harmonieux. Il allait y vivre, le temps qu'il faudrait, un jour, deux jours, une semaine peut-être, en attendant le dentiste. Pourtant, à cause d'un excès de perfection, un étage de trop, une élégance coûteuse dans la structure des fondations, l'immeuble

'écroula. Il oscilla doucement d'abord; de gauche à droite, puis tout à coup, dans un cri de rage et de douleur, il
s'effondra sur le lit, écrasant les couvertures, coupant le monticule blanc de l'oreiller comme un coup de fouet. Beaumont
bondit sur ses pieds, des larmes dans les yeux. Il alluma à
nouveau, mais la lampe principale cette fois. Fébrilement,
il ouvrit le tiroir de la table, trouva un tube de pyramidon,
prit un cachet, le posa sur la langue, déboucha la bouteille
d'alcool, probablement de l'eau-de-vie de prune ou quelque
chose comme ça, et avala une rasade à même le goulot. Alors
il s'assit sur le bord du lit et attendit. Derrière la maison,
un clocher d'église sonna quatre heures, avec de longs
coups grêles qui se répandaient dans le quartier. Beaumont
se leva, circula, alluma une autre cigarette. Il mit un disque
sur le pick-up, Enrico Albicastro, Jean Chrysostome Ariaga,
Thelonious Monk, ou quelque chose dans ce goût-là. Il entendit les accents se lever dans la chambre; mais ils n'étaient
plus clairs, et l'harmonie qui en résultait était un mélan-
ge plein de brouillards et de tristesse, un tumulte assour-
di qui traînait lentement entre les meubles, tout tissé de halos
et de ronds de fumée. Beaumont écouta le disque jusqu'au
bout, sans broncher, prostré dans sa confusion, la joue
gauche appuyée sur la paume de sa main. Quand tout fut
fini, il se leva, débrancha le pick-up et sortit de la chambre.
Il erra un moment dans l'appartement vide, allumant au passage toutes les lumières. Une peur sinueuse s'était logée
dans son cerveau; une peur qu'il croyait avoir oubliée
depuis des dizaines d'années; une angoisse secrète qui le sai-

pyramidon :
marque d'un médicament

rasade : gorgée

grêles : légers et aigus

pick-up *(vieux)*:
tourne-disques

Ariaga: violoniste
et compositeur espagnol
du 19e siècle

Thelonious Monk:
musicien de jazz
contemporain

crasse: saleté

logis: habitation

blanchoyants(sur chatoyant):
de différents blancs

sissait devant chaque rideau, chaque tenture de laine, chaque repli d'ombre et de crasse. Il avait envie de se transformer soudain en balle de ping-pong et de rebondir follement d'un bout à l'autre du logis, en éclairs blanchoyants, impossible à saisir, impossible à tuer, léger, léger, bien léger. Il tournoyait de plus en plus vite d'une pièce à l'autre, poussé par sa douleur, les yeux fixes, sans la moindre pensée, sans la moindre conscience, mais avec cette peur infâme qui le faisait frissonner des pieds à la tête, au seul frôlement d'une mouche réveillée, au seul bruit d'un ver rongeur écartant les

moulure: baguette décorative

couches mortes d'une moulure de bois.

Les images défilaient devant ses yeux, la porte, avec son verrou tiré, les volets fermés, hermétiquement fermés, les pièces vides, les penderies naturelles, les fauteuils calmes, les dessous de lit où personne n'est caché, les couloirs silencieux, où l'on voit tout. À la fin, n'y tenant plus, il décrocha le poignard hindou qui servait de panoplie dans la salle à manger et le passa dans la ceinture de son pyjama. Puis, comme il avait froid, il enfila sur son pyjama rayé une sorte d'imperméable. C'est alors que, passant devant le corridor, il aperçut le téléphone. Sans faire un geste de trop, il composa le numéro, décrocha l'écouteur et se mit à répéter, d'une voix d'idiot :

poignard :
  couteau à forte lame

panoplie : armes exposées
décorativement

" Allô? Allô? Allô? Allô? Allô? Allô? Allô? Allô? Allô? Allô? Allô?" pendant des minutes entières, tandis que la sonnerie bourdonnait là-bas, à l'autre bout du fil. À la fin, une voix de femme éclata, nasillarde.

"Allô?"

"Allô?"

"Allô? Qui demandez-vous?"

"Allô? C'est toi, Paule?"

"Oui, c'est moi. Qui?"

"C'est toi, Paule?"

"Ah... c'est toi? Mais qu'est-ce qui te prend? Tu es fou? Téléphoner à une heure pareille!"

"Paule, Paule, si tu savais ce que je souffre. Je n'en peux plus, je te jure. Je ne peux plus tenir. C'est pour ça que je t'ai téléphoné. "

"Mais qu'est-ce qui t'arrive? Où as-tu mal?"

"Je ne sais pas, mais c'est atroce. C'est insupportable. Je t'assure. C'est là, dans la mâchoire, au fond de la mâchoire, mais je ne sais pas ce que c'est. Ça me fait très mal, je ne sais pas comment faire, je..."

"Mais qu'est-ce que tu as? Où as-tu mal?"

"Je... je ne sais pas, je t'assure. Dans la mâchoire, ça me fait très mal sans arrêt."

"Tu as mal aux dents?"

"Non, non... Pas ça. Ce n'est pas vraiment les dents, non. C'est pire que ça. Je ne sais pas ce que c'est, mais ce n'est pas vraiment mal aux dents. Ça m'élance, tu ne peux pas t'imaginer. C'est absolument atroce, je ne peux plus le supporter."

élancer : causer une douleur brusque et violente

"Écoute, je ne sais pas, moi, je..."

"Excuse-moi de t'avoir réveillée, Paule, mais je ne pouvais plus dormir, et ça me faisait tellement mal, il fallait que je te parle, tu comprends?"

"Non, ça ne fait rien, je ne dormais pas vraiment, mais… mais écoute, essaye de dormir quand même, essaye de te reposer, de te calmer. Demain, tu iras chez le dentiste."

"Mais c'est maintenant qu'il faudrait que j'aille chez le dentiste, Paule, je t'assure, je n'exagère pas, c'est intolérable."

"Je sais, je comprends, mais attends demain, qu'est-ce que tu veux que je te dise? On ne peut pas réveiller les dentistes à… au fait, quelle heure est-il?"

"Mais je t'assure, franchement je ne peux pas attendre, je ne peux plus attendre, il faut faire quelque chose."

"Quatre heures dix… oui, je sais. Mais qu'est-ce que tu veux faire?"

"Paule…"

"Qu'est-ce que c'est au juste, ce que tu as? C'est un abcès?"

"Je ne sais pas, tu…"

"Tu as regardé ta gencive? Est-ce que c'est très rouge?"

"Non, il n'y a rien. Tu penses que j'ai regardé. Je t'assure, je ne sais pas ce que c'est… C'est… Ce n'est pas rouge du tout. Ça me fait mal à l'intérieur de la mâchoire, dans la mâchoire. Toute la tête me fait mal, maintenant, je…"

"Tu as pris des cachets? Prends des cachets."

"J'ai pris des cachets, un tas de saloperies, aspirine, doridène, pyramidon. Ça ne m'a rien fait."

"Tu as essayé des suppos?"

"Non, je n'en ai pas. Mais il faudrait quelque chose de très fort, de la morphine, ou quelque chose comme ça. Mais je n'ai rien chez moi. Et le temps presse, Paule, je ne sais

saloperies *(populaire)* : choses sans valeur

doridène, pyramidon : marques de médicaments

suppos *(abréviation familière)* : suppositoires

s ce que je vais faire."

"Écoute, je ne sais pas, moi. Prends encore des cachets
ue tu as, et puis essaye de dormir quand même."

"Je pourrais aller dans une pharmacie de nuit, mais de
oute façon, je n'ai même pas d'ordonnance, et il me fau-
rait un truc comme l'opium."

"Oui, il faut des ordonnances pour avoir ça. Attends
emain. Tu iras voir un dentiste dès demain matin, tu
rras, et tout ira mieux."

"Mais je ne peux plus attendre, Paule, je te jure. Je suis
bout de nerfs."

"Je sais, mais il le faut. Qu'est-ce que tu veux que je te
se? Si je connaissais..."

"D'ailleurs je suis incapable de marcher, Paule, je
assure. J'ai mal dans toute la tête, on dirait qu'elle va écla-
r. C'est atroce. Et puis il y a autre chose, Paule, il y a...
u m'entends? Dis, Paule, tu m'écoutes? Paule?"

"Oui, je t'écoute. Qu'est-ce qu'il y a?"

"Je ne sais pas, je te jure, c'est complètement idiot. Mais
ai... j'ai peur. C'est complètement idiot, je sais, mais
est plus fort que moi, j'ai peur. Je ne peux plus rester seul,
ne sais pas ce que c'est, mais je ne peux plus; je ne com-
rends pas ce que c'est, la fatigue, ou quoi. C'est comme
j'allais mourir, tout à coup. Comme s'il allait se passer
n événement terrible, une catastrophe. Et je suis sans
éfense. J'ai peur, Paule. J'ai peur."

"Écoute-moi. Va te coucher, attends demain matin. Ne
énerve pas. Tout ça passera bientôt. Mais écoute-moi, il

faut que tu ailles te coucher et que tu te reposes. Dema[n]
tout sera fini."

"Non, non, ça ne sera pas fini... J'ai peur, Paule, tu con[m]
prends, j'ai peur. Je ne sais pas ce que c'est, c'est la premiè[re]
fois que ça m'arrive, mais j'ai peur. Je ne sais pas de quo[i]
ou plutôt si, je m'en doute, mais je n'arrive pas à comprend[re]
C'est là, partout, autour de moi, j'ai l'impression qu'il y [a]
des gens. Ils vont me tuer. Ils sont entrés et ils rôde[nt]
partout. Ils se cachent derrière les rideaux, sous les lits, da[ns]
le couloir, dans la cuisine, et si je tourne la tête trop vi[te]
pour les regarder, ils vont me tuer. Ou bien ils attende[nt]
le moment où je me serai recouché. Tu comprends, Paul[e]
Je ne peux plus me recoucher. Si je me mets dans mon li[t]
ils vont venir, avec des couteaux, et ils me poignardero[nt]
dans le dos. Paule, je te jure, ils vont venir. Ils n'attende[nt]
que ça."

"Je t'en prie. Cesse de faire l'enfant. Calme-toi. Tu sa[is]
bien que ce n'est pas vrai. Tu dois avoir de la fièvre. C'e[st]
probablement un abcès. Il faut que tu te couches et que t[u]
essaies de te reposer. Prends des somnifères. Et surtout, détend[s]
toi, ne pense plus à rien. Hein?"

"Mais je ne peux pas, je te l'assure. J'ai peur, c'e[st]
plus fort que moi. J'ai mal et j'ai peur."

"Écoute, je viendrai te voir dès demain matin. Mais [il]
faut que tu te reposes. Tu entends?"

"Oh, Paule, pas demain. Je t'en prie. Viens maintenant.["]

"Mais tu sais très bien que je ne peux pas. Mes paren[ts]
ne voudraient pas. Tu les as réveillés en téléphonant, et i[ls]

rôder : errer,
dans une intention hostile

poignarder : frapper
avec un poignard

ont furieux. Il faut que je te quitte, maintenant. Excusemoi, mais je t'assure que ça m'est tout à fait impossible de venir maintenant. Je te promets, je viendrai dès demain matin, vers huit ou neuf heures."

"Tu ne peux pas venir maintenant?"

"Non, c'est impossible. Si je pouvais, je viendrais, mais je t'assure, ce n'est pas possible."

"Je ne sais pas. Je ne sais pas ce que je vais faire, maintenant."

"Va te reposer, va."

"Je ne sais pas. Il ne fallait pas, il ne fallait pas que je reste seul. Je pensais..."

Pendant quelques secondes, ils ne parlèrent plus. Beaumont s'était assis sur un tabouret, à côté du téléphone; la moitié de son visage était devenue une sorte de pierre, de granit sans doute, dure et friable à la fois, parcourue de veinules gorgées de bleu, où chaque élément semblait tenir agrégé à cause d'un chant rauque et strident, un cri de douleur et de rage. La voix de la jeune femme entra à nouveau dans son oreille. Il y avait quelque chose de changé dans son timbre, à présent; de l'éloignement, peut-être, ou bien de la fatigue. Elle dit :

"Comprends-moi, ce que tu me demandes est tout à fait impossible, tout à fait impossible."

Beaumont restait immobile. Ses yeux étaient figés dans les paupières, comme si les larmes avaient gelé. Il écoutait avidement la psalmodie criarde et triste qui partait de sa mâchoire, et l'unissait aux murs du corridor; déjà sa

tabouret : petit siège, généralement rond et sans dossier

veinules : petites veines

agrégé : mis ensemble

main droite détachait l'écouteur de son oreille, et il se sentait partir, massacré, raide de stupeur.

La voix continuait, très nasillarde :

"Écoute-moi. C'est absolument impossible, je te jure. Mais je viendrai te voir dès demain matin à la première heure. Tu n'as qu'à m'attendre et à te reposer. Je téléphonerai au dentiste, si tu veux. Tu verras, tout ira bien. Ne t'en fais pas, repose-toi."

Un bourdonnement électrique coupait les paroles de la jeune femme, s'immisçait entre les mots comme une sorte de mouche à viande prise entre un rideau de tulle et le verre d'une vitre.

"Dis, tu m'entends, hein ? Tu m'entends ? Allô ? Réponds-moi. Je t'en prie, comprends." Puis : "Allô ? Allô ? Tu es là ? Allô ? Allô ? Tu m'entends ? Allô ?"

Le bras de Beaumont pendait tout à fait le long de son corps, maintenant. Au loin, très au loin, il entendait les grésillements du téléphone; mais il n'avait plus envie d'écouter et de comprendre. La seule idée d'avoir à relever l'écouteur jusqu'à son oreille lui semblait dégoûtante, nauséabonde. Il regardait le papier qui tapissait le mur du couloir, les yeux brûlants de fatigue. Le chant de sa mâchoire était plus grave, désormais; il vibrait avec de longues ondes paresseuses, qui descendaient le long de la colonne vertébrale, des bras, des jambes, qui terminaient leur course dans chaque extrémité, et plus particulièrement, tout en haut de la tête, à la pointe du cerveau, en une faible explosion sans couleur qui se répandait comme une flamme d'essen-

Ne t'en fais pas *(familier)* : ne t'inquiète pas

s'immisçait : s'infiltrait

tulle : tissu léger

ce. Beaumont était submergé par ces ondes; il se noyait; très loin encore, ou peut-être plus exactement comme parvenu de derrière une cloison, il écouta le claquement du téléphone que la jeune femme avait raccroché là-bas, chez elle, avant de resserrer autour d'elle peignoir et chemise de nuit de nylon noir, et de marcher vers sa chambre, et de chuchoter, par la fente de la porte entrebâillée, à sa mère surgie des oreillers : "Maman. Ce n'est rien. Ce n'est rien. Bonne nuit."

surgie : dont la tête se dégageait brusquement des oreillers

Abandonné sur son tabouret, dans le corridor, Beaumont se sentit envahir par une fureur étrange, quelque chose de froid et d'aigu, une décharge électrique dans la main droite, par exemple, et qui le jeta debout, seul, sur le parquet, détaché du téléphone, couvert de muscles et de tendons, comme dépouillé soudain non seulement de son pyjama, de son imperméable et du couteau hindou, mais aussi de sa peau, de sa longue peau blanche, fiévreuse et distendue. Mâchoire en avant, il progressa sur le sol, en direction de sa chambre. Un courant d'air très mince passait dans sa bouche ouverte, descendait jusque dans ses poumons, puis ressortait, tiède, chargé d'odeurs de gaz, et s'enfonçait au milieu de l'atmosphère, modifiant doucement des pourcentages et des températures. C'était cela, la vie, rien du tout, un phénomène uniforme et vague, si facile à réduire; et la douleur, cette passion incohérente faite de vibrations et de graphiques, la douleur coulait dans ce filet d'air, liait les poumons aux objets voisins; c'était une plante à doubles racines, l'une fichée dans les chairs humaines, l'autre tatouée dans la matière, comme une fleur sur la tapis-serie d'un mur. Avec cet organe nouveau, imprévu, en train de grandir dans et hors de lui, Beaumont recevait l'indi-cation de sa propre mort; sournoisement, on lui montrait la pierre et le plâtre, les papiers, les étoffes et les verres, on les lui faisait connaître, on le poussait vers eux, vers le calme inhumain, vers l'ordre mystérieux où le temps ne coule plus, où les mouvements sont imperceptibles, les sensations, éternelles. C'était lui, cette plinthe, c'était lui, cette couleur jaune sale, ces décombres, ces meubles, ces morceaux de bois rongé, ces plaques de peinture malade. Ce lit, ce tas de chif-fons, plein de drap et de laine, où il tombait maintenant, et qui balançait tranquillement le poids de son corps. Sans même éteindre la lumière, Beaumont rampa sur le mate-las, jusqu'à l'oreiller. Puis il posa la tête sur la masse moel-leuse et ferma les paupières.

plinthe : bande de bois au bas d'un mur

Dans le noir, la souffrance grandit encore, si c'était pos-sible. Elle cessa d'être multiforme, architecturée. Elle devint un symbole bien droit et bien net, clair ou sombre, une espè-ce d'I triomphal sur quoi il était empalé tout entier. La posi-tion était assurée, à présent, et jusqu'à la fin, jusqu'au chirurgien-dentiste, stomatologue, etc., il devait la gar-der, tournant autour d'elle désespérément; la violence ver-ticale. N'importe ce qu'il fallait faire, ce qu'il faisait effectivement, c'est-à-dire se lever de nouveau, s'asseoir sur le bord du lit, se regarder dans la vitre du poste radio posé sur la table de nuit, prendre une cigarette, puis la reje-ter par terre, sans avoir eu le courage de l'allumer, il ne ces-

empalé : par quoi il était transpercé

serait pas d'être *debout,* debout sur ses deux jambes, raide, paralysé, hagard.

Alors il prit la bouteille d'alcool et se mit à boire. Sa mâchoire ne le quittait pas, non, mais l'ivresse le faisait reculer. Vers quatre heures et demie, il était à environ deux mètres de sa mâchoire; un peu comme si un grand clou avait été planté dans l'os et dans les gencives, et qu'il avait dû tirer, de toutes ses forces, pour élonger la blessure et prendre du champ. De l'autre côté de la fenêtre, les rumeurs étaient plus fréquentes. La cascade d'eau s'était tue depuis quelque temps, mais elle avait été remplacée par les glissades des pneus de voitures, par des pas humains, par des fracas de rideaux métalliques qu'on soulève. Encore deux heures-deux heures et demie, et il ferait jour. Vautré sur le lit, Beaumont finissait la dernière gorgée d'alcool. Il parlait tout seul, de temps à autre, non pas avec des phrases, mais avec de petits mots qu'il grognait en buvant, dans le genre de "aïe", "aïe-aïe-aïe", "oh", "ah mal mal", "Hola-aïe", "aïe-ouh". Le liquide coulait dans son œsophage, et lui, était sec; autour du lit, chaque centimètre carré s'était vidé de sa teneur en eau; le parquet, le papier, les plâtres, les volets, les cendres, tout était desséché, désert. C'était comme de grandes plaques d'ardoise, rêches et poussiéreuses, où l'air frottait avec des bruits de papier émeri; pareil à un sac d'aspirateur, le cube atmosphérique de la chambre regorgeait de particules, pellicules, cheveux, flocons, braises, échardes, limaille, rouille, d'une espèce de sable âpre et érosif qui entrait partout, bloquait des roulements à billes, soudait des

élonger
(terme médical) : étirer

vautré : allongé

rêches : rugueuses
papier émeri : abrasif

échardes : fragments de bois
limaille : poussière de métal
érosif : qui provoque l'érosion

espaces, cimentait les éléments les uns aux autres.

Beaumont était assis maintenant sur un monticule

gravier : petits cailloux

de gravier, et son corps semblait vieillir dans le genre des momies. Sa mâchoire blessée était un curieux os, un peu jaune et sale, où les nerfs étaient hérissés comme des herbes. Sa peau même, autrefois si vivante, cette peau où la sueur et les tiédeurs profondes avaient habité, n'était plus qu'une couverture de laine, une vieille couverture de cheval mangée par les mites, usée, pleine de nœuds et de trames grossières. Le monde était devenu lentement une drôle de symphonie de flanelles, les unes grises, les autres rouges ou brunes, ou bleuâtres, qui s'irritaient et se grattaient mutuellement. La laine des murs contre l'écru de l'air; la broderie orange, toute seule, un point rond; de l'ampoule électrique; la toile à sac de la nuit usant le tricot des volets

finette : coton pelucheux

ou la finette des toits de tuiles; les nylons des vitres sur la

satinette : coton qui imite le satin

laine des murs; l'écru de l'air contre la satinette du parquet obscur. Et des couvertures, encore des couvertures, ici et là

suédine : tissu imitant le suède

des draps, des lainages, des fils d'Écosse, des suédines, du velours épais et durcis, des cotonnades, du tergal, des mousselines, des fourrures, des toiles, toujours des toiles

se limant : frottant comme avec une lime

partout, se limant les unes les autres, en d'imperceptibles mouvements qui répandaient autour d'elles des nuées de poils et de poudre, en même temps qu'un chant monotone de l'usure, un son unique et discordant où fourmillaient

hachures : entailles

les grattements, les raclages, les hachures, sans cesse, sans but, jusqu'à couvrir tous les autres bruits de la ville. Pris dans ces mandibules, dans ces mâchonnements, Beaumont était un ourlet de tenture, une boule de laine mêlée, quelque chose de mort et de consumable, recroquevillé dans le coton de son pyjama rayé, enserré dans les pans de toile cirée de son imperméable comme dans un suaire, et il vivait là, à plat, cousu sur ces décombres de machine à tisser, sentant les choses bouger autour de lui.

consumable : qui peut brûler

suaire : drap mortuaire

C'est ainsi qu'il vit le jour arriver, s'installer dans sa chambre. La lumière électrique brûlait toujours au même endroit, dans la poire de verre pendue au bout de son fil, là où dorment les mouches. Les sons métalliques, les martèlements de talons, le brouhaha des voitures avaient augmenté; parfois un cri, encore insolite, fusait d'une bouche grande ouverte qui appelait vers les fenêtres : "Jérôme." Ou bien une sorte de glas traînait le long des façades, probablement les matines.

glas : sonnerie de cloches

matines : office religieux célébré pendant la nuit

Vers sept heures dix, Beaumont se leva; il n'avait plus de mâchoire, plus de gencive, de dent de sagesse, de molaire dévitalisée, rien. Sa barbe était assez longue, maintenant, plus épaisse sur la joue droite. En titubant, il avança dans le couloir; il semblait repousser quelque chose devant sa bouche, l'haleine chargée d'alcool sans doute, et qui s'échappait en forme de triangle. Il prit l'écouteur qui pendillait au bout du fil, et composa un numéro avec sa main droite. 80-10-10. Il attendit debout, sans rien dire. Le téléphone sonna cinq ou six fois, là-bas, sans le studio face à la mer, près du lit blanc où des vêtements traînaient comme des dépouilles. Mais personne ne répondit, et Beaumont raccrocha. Il le fit très simplement, presque

pendillait : diminutif de pendait (pendre)

sans regret, les yeux voilés par la brume. Puis son index retourna vers le disque aux dix chiffres. 89-22-81. Le téléphone sonnait. Au-dessus de la tête de Beaumont, épinglée au mur, il y avait une vieille photographie découpée dans un livre, **soutane** : robe des prêtres un homme barbu vêtu d'une soutane blanche, avec écrit en dessous :

*Le Père de Foucauld
dans l'ermitage de Beni-Abbès.*

À la quatrième fois, une voix répondit :

"Allô?"

"Allô?" dit Beaumont, d'une voix si faible que l'autre n'entendit pas.

"Allô?" répéta la voix.

"Allô" redit Beaumont.

"Allô, qui est à l'appareil?"

"Beaumont", dit Beaumont.

"Qui ça?"

"Beaumont. Je..."

"Qui, Beaumont? Qui demandez-vous?" cria la voix. "Voilà. Je vais vous expliquer", dit Beaumont; "je n'ai pas dormi de la nuit. J'ai une douleur horrible, là, dans cette mâchoire. Une douleur terrible. Je n'ai pas pu dormir cette nuit. J'ai... j'ai même dû me saouler pour pouvoir le supporter. Vous comprenez? Alors j'ai essayé de téléphoner à... à une amie. Je voulais qu'elle vienne me voir. Vous comprenez? J'avais peur. J'ai eu beau lui demander, lui expliquer, elle n'a pas voulu. Elle m'a dit ce qui lui passait par la tête, enfin la première excuse venue, qu'il était trop

soutane : robe des prêtres

Père de Foucauld :
explorateur puis missionnaire
au Sahara (1856-1916)

saouler (*familier*) :
boire jusqu'à être ivre

tard, que ses parents ne voulaient pas qu'elle sorte la nuit, et cætera, et elle..."

"Mais qu'est-ce que vous voulez que ça me fasse, et d'abord qui êtes vous?"

"Elle n'a pas voulu. Il était quatre heures du matin et elle avait envie de dormir. Vous comprenez? Elle a préféré dormir. Elle m'a dit..."

"Écoutez. Qui êtes-vous? Et pourquoi me téléphonez-vous?

"Je suis Beaumont, je vous l'ai déjà dit. Je..."

"Je ne connais pas de Beaumont, moi, et puis..."

"Non! Écoutez-moi avant de raccrocher. Ne raccrochez pas tout de suite."

Beaumont sentit tout à coup la présence du poignard hindou, là, contre sa hanche. La futilité de cette arme, ou bien quelque chose d'autre, inconnu, lui apparut, et il l'ôta de sa ceinture. Le couteau tomba sur le sol, près de ses pieds, à l'endroit où il devait rester jusqu'à la fin. Beaumont continua à parler, lentement, avec peine; les mots traversaient difficilement la zone empestée de sa bouche, cette zone maintenant dépeuplée de sa face dans le froid.

ôta : enleva

empestée : qui sent mauvais

"Allô? Oui. Écoutez : je vais vous expliquer, j'ai eu tout à coup tellement peur, cette nuit. Ça ne m'était encore jamais arrivé. La solitude, ça devait être ça, la solitude. J'étais tout seul dans cet immense appartement, c'était impossible à supporter. Et j'avais ce truc dans la bouche, cette tumeur qui me torturait. Est-ce que vous pouvez imaginer une chose pareille, est-ce que vous pouvez seulement imaginer? Alors,

truc *(familier)* : chose

j'ai téléphoné à cette fille dont je vous ai parlé, mais elle n'a pas voulu venir. Alors j'ai pris une bouteille d'alcool et j'ai commencé à boire. Je ne me suis pas arrêté jusqu'à maintenant. Je suis noir, je suis complètement noir. Mais ça n'a pas d'importance. J'ai l'impression que je suis fini, que tout est fini. Je ne peux plus rien faire, je vous jure, c'est la vérité, c'est terrible, c'est... J'ai déjà été malade, vous comprenez, non, j'ai déjà été malade, dans ma vie, mais je ne savais pas ça. Je ne savais pas ce que c'était. J'ai déjà été saoul, aussi, mais pas comme ça. Pas comme ça. J'ai déjà eu mal aux dents, et tout, mais ça n'était pas pareil. Vous comprenez. Vous comprenez. Ce n'était pas comme aujourd'hui, ce vide, ce silence, tout ça, cet abandon. Alors j'ai pris le téléphone et j'ai fait un numéro, au hasard. Je ne sais plus quoi faire exactement maintenant, mais..."

noir *(populaire)* : ivre

"Oui", dit la voix; tout ça était ridicule, dans le genre du courrier du cœur, des lettres des lecteurs, avec ton de voix faux, hésitations, presque littérature.

"Je... je ne vois pas ce que je peux faire pour vous. Je regrette. Au revoir."Et l'autre raccrocha. Beaumont ne fut pas blessé, ni même troublé par la rupture. Presque sans bouger, il recomposa un autre numéro : 88-88-88. Loin sur des kilomètres de fil téléphonique, un disque se mit à tourner, répétant la même phrase : "Il n'y a pas de correspondant au numéro que vous demandez. Il n'y a pas de correspondant au numéro que vous demandez. Il n'y a pas de correspondant au numéro que vous demandez. Il n'y a pas de correspondant au numéro que vous demandez. Il n'y a pas de correspondant au numéro que vous demandez. Il n'y a pas de correspondant au numéro que vous demandez. Il n'y a pas de correspondant au numéro que vous demandez. Il n'y a pas de correspondant au numéro que vous demandez. Il n'y a pas de correspondant au numé..."

Beaumont reposa l'appareil. Puis ajouta de nouveaux chiffres, 8 + 0 + 1 + 0 + 3 + 3 =

"Allô?"

"Allô! est-ce que je pourrais vous parler?"

"Oui, heu... C'est de la part de qui?"

Peut-être Beaumont se trompait-il, mais c'était une voix toute fraîche et toute neuve, une voix de très jeune fille, quinze-seize ans sans doute, qui traversait la carapace de bakélite en accents purs, modulés vers l'aigu, avec parfois de doux chuintements graves dans la prononciation des occlusives, surtout des dentales. Beaumont écouta la voix réitérer sa demande, et une espèce de tristesse calme envahit sa face, se mêlant doucement avec la colonne de sa douleur. Il respira.

la carapace *(figuré)* : le boitier

bakélite :
nom d'une matière plastique

occlusives : consonnes occlusives, comme *p, t, k, b, d, g*

dentales : consonnes dentales, comme *d* et *t*

"Je m'appelle Beaumont", dit-il; "je ne vous connais pas, je vous ai téléphoné au hasard, absolument au hasard. J'ai fait un numéro, comme ça, sur l'appareil, et c'est vous qui avez répondu. Je ne me rappelle même plus quel numéro j'ai fait, mais ça n'a pas d'importance, ça n'a pas d'importance puisque, de toute façon, dans un moment tout ça sera fini. Est-ce que vous acceptez de m'écouter, est-ce que vous voulez bien continuer à m'écouter jusqu'au bout?"

"Je ne comprends pas, je..."

"Si vous ne voulez pas, ça ne fait rien, raccrochez.

Vous n'avez qu'à raccrocher la première et j'essaierai un autre numéro."

"Je veux bien, mais pourquoi faites-vous ça?"

"Pourquoi je téléphone comme ça au hasard?"

"Oui."

"Je ne peux pas vous expliquer exactement, non, je ne peux pas. Parce que je ne le sais pas très bien moi-même. Je veux dire, si, il y a des trucs que je sais... je suis seul, et j'ai mal, et j'ai peur, vous comprenez, je suis complètement seul, je me sens complètement seul, et j'ai peur."

"Et vous..."

"Oui, c'est ça, vous savez, ça a l'air ridicule de dire tout ça, comme ça, mais je ne peux plus me permettre, je ne peux plus me permettre d'avoir peur du ridicule. De toute façon, vous ne me connaissez pas, vous ne m'avez jamais vu, et dans quelques instants ça sera fini, oublié. Vous comprenez? Je ne sais pas comment dire ça, mais j'ai mal. J'ai vraiment très mal, à peine si je peux parler. Ça a commencé hier soir, non, même pas, pendant la nuit, vers quatre heures du matin. Je me suis réveillé avec ce mal aux dents et ça s'est mis à enfler, à enfler. Je ne sais plus où j'en suis, je... j'ai essayé d'appeler une fille que je connais, je voulais qu'elle vienne me voir, parce que je ne pouvais pas supporter d'être tout seul, comme ça, avec mon mal aux dents. Mais elle... mais elle n'a pas voulu venir, elle a dit qu'elle ne pouvait pas, parce que c'était quatre heures du matin et tout. Alors je ne sais plus ce que j'ai fait, mais c'était terrible. J'ai bu toute une bouteille d'eau-de-vie de prune, mais ça n'a rien fait. J'ai passé la nuit comme ça, assis sur un lit sans rien faire. Si seulement elle avait pu venir, si seulement elle avait voulu. C'était nécessaire, vous comprenez, c'était vraiment nécessaire. Jamais de ma vie je n'avais eu ça. C'était la seule fois, oui, je vous jure, c'était vraiment la seule fois de ma vie où j'aurais eu besoin qu'elle soit là. Maintenant, c'est différent. Je n'ai plus besoin de personne, vous comprenez. Maintenant, quand je veux, je pourrai aller chez le dentiste, et il me soignera. Il me fera une radio, et il me dira : vous avez un abcès sous la dent de sagesse, ou sous la molaire dévitalisée, ou quelque chose comme ça. Un abcès. Rien qu'un abcès. Et vous êtes si douillet. Pire qu'une femme. Et il ne comprendra jamais ça. Il ne saura pas ce que c'était, cette nuit, dans ma chambre. Si je lui disais, il ne croirait pas. Ça le ferait rire. C'était ça, mon vieux, un abcès, rien qu'un abcès. On va vous extraire la dent. Il faut vous faire une piqûre, j'espère que vous supportez les piqûres, hein? Vous voyez? La vérité, la vérité, c'est horrible. Quand on commence avec elle on ne peut plus s'arrêter. Et on peut rester ainsi des heures, sans rien faire d'autre, assis sur le bord du lit. C'est pour ça, c'est pour ça que je vous parle. Au début, malgré tout, malgré tout ce vide, je pensais encore qu'on pourrait faire quelque chose. Je pensais qu'on pourrait arrêter cette machine, cette espèce de machine, en parlant, en bougeant, en buvant du schnaps, en téléphonant, ou en faisant des trucs de ce genre. Mais maintenant, ça y est, j'ai compris. Il y a un état qu'on ne doit jamais dépasser, et moi je l'ai dépassé. Je ne peux

douillet :
sensible à la douleur

schnaps : eau-de-vie
allemande de pomme
de terre ou de grain

plus revenir en arrière. J'ai besoin de ma douleur, maintenant, je ne suis plus rien que par elle. Et je l'aime. Il y a des choses qu'on ne doit pas connaître, et moi, maintenant je les connais. Cette nuit. Vous savez…"

"Mais pourquoi, pourquoi dites-vous cela?"

La voix hésita, paraissant construire et détruire simultanément, puis continua :

"Pourquoi? pourquoi me dites-vous cela? Qu'est-ce que vous allez faire, à présent?"

Sans la moindre émotion, respirant parfaitement entre chaque proposition, Beaumont répondit :

"Je ne sais pas encore. Franchement je n'en sais rien. Je vous ai dit tout à l'heure, c'est différent, à présent, je n'ai plus besoin de personne. Maintenant je suis seul, je suis vraiment seul, tout seul. J'ai encore mal, bien sûr, mais je ne sais plus. Peut-être un peu moins mal, peut-être toujours pareil. Mais c'est oublié, déjà, c'est presque oublié. J'ai un genre de paix, vous savez, une espèce de petit calme triste et silencieux. Pour vraiment souffrir, il faut aimer quelqu'un. Et moi je ne connais plus personne au monde, tout m'est devenu régulier, indifférent. Je suis seul, et en même temps, je suis déjà partout. Oui, partout. Partout où il y a des gens, du soleil, des gens qui vont et viennent. Des travaux, des souffrances. Je suis tout ce qui se passe sur la terre, toutes les horreurs, et tous les plaisirs. Tout ce qu'on y dit et tout ce qu'on y veut. Je vous assure, tout. Parce que je suis vide, vide, vide. Et que tout peut venir en moi. Vous comprenez. Comme un magnétophone, tout à fait comme ça. Ou comme un appareil de téléphone. Les bruits des voix humaines courent en moi, pendant des kilomètres, des kilomètres. Vous comprenez? Les voix des autres vont passer en moi, et moi je serai froid et silencieux, tout le temps. Je ne saurai plus rien. Je ne dirai plus rien. Une feuille de papier blanc, très blanc. Je vous laisse ça. Vous pourrez y écrire ce que vous voudrez. Mon nom, par exemple, Beaumont, Beaumont. Ou bien un jardin, avec des cailloux et des herbes. Et moi enterré dedans, sous une petite plaque de marbre, et des couronnes, et des fausses orchidées. Ou bien encore une fenêtre, vous savez, une fenêtre ouverte sur ce que vous voudrez, un paysage de neige, une rue grise avec les poubelliers qui passent. Du soleil, de la pluie, le mistral, les gens qui reviennent du cinéma, le soir, et un autocar qui s'en va. Vous entendez?"

couronnes : couronnes de fleurs

poubelliers : employés qui vident les poubelles — habituellement : éboueurs

"Vous vous appelez Beaumont?" dit la jeune fille.

"Je m'appelais Beaumont, oui", dit Beaumont calmement.

"Eh bien, Beaumont. Je... je penserai à vous."

"Quand je mourrai", dit Beaumont.

"C'est ça, quand vous mourrez", dit-elle.

Comme il n'y avait plus rien d'autre à faire, ou à dire, et que c'était vraiment le matin, maintenant, Beaumont raccrocha l'appareil. Puis il retourna dans sa chambre, là où régnaient les draps en désordre, les couvertures tachées de cendres de cigarettes, et l'odeur pharmaceutique de l'eau-de-vie. Il marcha autour de sa table, quelques minutes, avec de grosses jambes lourdes de fatigue et des yeux cuisants.

pharmaceutique : de pharmacie

cuisants : qui brûlent

À la fin, il s'assit encore sur la chaise, comme il l'avait fait quatre ou cinq heures auparavant, au début de sa douleur. Le matin, cela existait vraiment; cela avait des bruits de motocyclettes qui démarrent, des klaxons, des cris d'hommes, des lumières blanchâtres et fades, des odeurs de fumée qui perçaient les fenêtres fermées. Un suaire, oui, une espèce de suaire. Sur une carte de visite, où il y avait d'écrit :

klaxons : avertisseurs d'automobile

PIERRE-PAUL BRACCO
d'accord pour mercredi même heure
P.S. — Ciné-club, demain soir, 21h.
"L'Étang tragique" Jean Renoir

Jean Renoir :
metteur en scène français
(1894-1979)

il dessina une petite série de spirales et griffonna quelques mots. C'étaient :

Je suis content d'avoir
connu ces choses
Maintenant je
les aime.

À bientôt.
Beaumont.

Et il se replia à l'intérieur de sa gencive.

Les battements de son cœur, là-bas, au fond de sa poitrine, l'emportaient en rythme à travers ses artères. Chaque coup sourd qui s'ébranlait depuis le plus profond de son corps faisait mouvoir une vague large de sang épais, et cette vague le refoulait en lui-même; vers un point inconnu, très petit, situé sur le bord de sa mâchoire, et qui portait à peu près tous les signes de la vie. Beaumont devenait minuscule, comme un gant qui s'effacerait à mesure qu'on le retourne. Ses pieds et ses mains entraient dans la dent, par l'émail ouvert, et filtraient vers le fond, en aspirations caoutchoutées. Puis ses jambes, ses bras, son tronc disparaissaient à leur tour. Les épaules et la nuque suivirent, après, lentement et méthodiquement. Les yeux fondirent, les oreilles s'aplatirent et s'anéantirent, comme gommées; les cheveux, dépeignés, et le front, et le nez, et la bouche, les lèvres lippues, les pommettes, les joues rayées de barbe, toute la face s'éteignait. Cette chair et ces os étaient digérés par une espèce de serpent dégingandé, un vrai boa de six mètres, un intestin vivant qui vivait caché dans sa mâchoire; le visage n'était plus qu'une bouillie informe, mobile, qui fuyait vers le bas, vers l'orifice, à la manière d'une eau de lessive s'engloutissant par la bonde ouverte d'un lavabo.

lippues : épaisses

dégingandé : long et maladroit

bonde : orifice pour vider — un lavabo, un évier

Quand il fut installé dans sa dent, au centre d'une aire pulpeuse pleine de sommeil et de peine, Beaumont se sentit extrait de son malheur; il était lointain et fluctuant, prisonnier d'une petite cage d'ivoire, et avide d'être souffrant dans la souffrance. C'était l'harmonie perdue le jour de sa naissance, et soudain retrouvée sans désir, sans souci, comme s'il avait été condamné par un tribunal d'hommes et de bêtes; un genre d'hiver blanc et triste, mais où tout était infini, élégant, majestueux. Les chants clairs n'habitaient plus ses oreilles; il n'avait plus d'oreilles, et il était la chanson. Il était fier de son nouveau corps, celui de dans-la-dent; il s'amusait à le mouvoir dans tous les sens, pour le seul plaisir de découvrir ce dont il était capable; il allait sans cesse dans les genres les plus divers, de l'Opéra-Comique au negro spiritual : il était la trompette bouchée, la clarinette, le saxo-alto, ou bien le craquement sec d'un ongle qu'on casse. Très grand et machinal, comme Albinoni, ou plutôt sec et ramassé, comme Shelly Manne. Des sons de gong, piétinant brutalement sur d'entières surfaces planes, des tubulures, ou bien des ronflements, des gargouillis, des hoquets. Un seul sifflement aigu, dans le genre des criquets tout seuls dans la nuit. Le rythme mou et dur à la fois de la contrebasse, hachant le silence en doubles sons, Charlie Mingus, repris sans cesse l'un sur l'autre, bougeant, échafaudant les gammes, un barrage, puis temps de valse, et pluie de notes descendant simultanément sur deux cordes différentes, et souffle, souffle des poumons qui se déploient, jusqu'à l'union, jusqu'à la jonction, le point A, où, sombrement, dures, très dures, douloureuses, les couples de grondements s'assèchent d'un seul coup, avec un drôle de miaulement qui s'épanouit comme une douche. Ces cris et ces tumultes, qu'il avait choisis, étaient dans le genre d'un bonheur bizarre; quelque chose d'infini, et pourtant de désespéré, dont il n'avait la maîtrise qu'à contrecœur.

Beaumont, assis dans sa dent, bien au chaud, bien au mal, les deux jambes encastrées dans les rainures des racines, était emporté par un autre mouvement; celui du souvenir

bouchée : munie d'une sourdine

Albinoni : compositeur italien (1671-1750)

Shelly Manne : musicien de jazz contemporain

tubulures : tubes

gargouillis : bruits de canalisation ou organiques

miaulement : cri du chat

du soleil, par exemple, ou du temps qui presse. Il y avait au centre de sa chanson multiforme comme un animal particulier, un ver à pattes qui ne pouvait mourir. Il gardait avec lui le monde des rumeurs et des lumières, les bruits et la poussière, les rues éventées, le froid, l'épanchement des égouts. Et les cohortes des premiers hommes du matin, marchant vers leurs bureaux, serrés dans les imperméables.

éventées : parcourues par le vent

cohortes : groupes

Beaumont quitta sa chaise, son lit, ses cendriers et sa chambre; sur les toits de la maison, qu'il avait pu gagner grâce à la fenêtre mansardée du palier du dernier étage, il marcha un instant. Il longea la gouttière et atteignit la zone que le soleil levant frappait de ses rayons. Il devait être quelque chose comme huit heures, huit heures et demie. Le vent, assez froid, venait de face et plaquait contre lui l'imperméable et le pyjama rayé. Beaumont vit la rue, sous lui, et la maison d'en face; les volets étaient encore presque tous fermés. Sur le trottoir, à côté de la pharmacie, une petite fille leva la tête et regarda dans sa direction. Beaumont se plaqua contre la pente du toit pour se dissimuler. Puis, la fatigue aidant, il s'assit sur ses talons, en se maintenant de la main droite à une rainure de tuile afin de ne pas tomber. Il resta ainsi, assez longtemps, au soleil, assis sur le toit parmi les excréments d'oiseaux.

mansardée : à la Mansard, c'est-à-dire à mi-hauteur du toit

J.-M.G. LE CLÉZIO

Vue des toits de Paris. Ier arrondissement.

LES PRONOMS RELATIFS

Remplacer les tirets par le pronom relatif convenable :
qui, que, quoi, dont, où, lequel (auquel), laquelle, lesquels, lesquelles

1. Une dent ------- vous fait mal? Ce n'est pas drôle!

2. Ce à ------- on pense quand on a une rage de dents?

3. Ce ------- je voudrais, c'est trouver un dentiste.

4. L'appartement ------- nous vivons donne sur l'avenue.

5. L'avenue ------- je vous parle est bordée d'arbres.

6. Le bureau ------- nous travaillons donne sur la cour.

7. Les bureaux ------- vous faites allusion sont au dernier étage.

8. La musique ------- vous entendez?

9. C'est le musicien ------- habite en face.

10. Voici les adresses parmi ------- vous ferez votre choix.

11. Le numéro de téléphone ------- vous m'avez donné n'est pas le bon.

12. La liste dans ------- je l'ai trouvé n'est plus à jour.

L'INDICATIF, LE SUBJONCTIF, L'INFINITIF

Transformer si nécessaire les propositions à l'indicatif (entre parenthèses) en propositions au subjonctif — présent ou passé — ou à l'indicatif selon le cas :

1. Je crains (que nous avons eu tort) ------- de le mettre au courant.

2. Il est temps (que tu sais) ------- ce qui s'est réellement passé.

3. Je ne crois pas (que cette version des faits est exacte) ------- .

4. Il est impossible (qu'elle s'est trompée d'adresse) ------- .

Pourvu qu'(elle n'a pas eu d'accident de voiture) ------- !

5. Es-tu content (que tu as obtenu ton diplôme) ------- ?

6. J'espère (que je pourrai vous accompagner) ------- .

7. Etes-vous sûr (que la pharmacie est ouverte si tôt le matin) ------- ?

8. Nous savons bien (que Paris est la plus belle ville du monde) ------- .

9. La concierge de l'immeuble interdit (que l'on fait du bruit le soir) ------- .

10. Je cherche une secrétaire (qui connaît bien la sténo) ------- .

11. Nous avons trouvé quelqu'un (qui peut nous aider) ------- à

repeindre l'appartement.

12. Nous rentrerons chez nous à pied bien qu'(il fait très froid) ------- .

13. Dès que (tu seras prêt) ------- nous nous mettrons à table.

14. Je suis désolé (que je ne suis pas allé au cinéma hier soir avec vous) ------- .

15. C'est le meilleur film (que nous avons vu cette année) ------- .

LE PARTICIPE PRÉSENT, LE PARTICIPE PASSÉ

**Remplacer l'infinitif entre parenthèses par le participe présent
ou le participe passé (en faisant l'accord si nécessaire), selon le cas :**

1. Combien de gâteaux as-tu (acheter) ------- ?

Tu en a déjà (manger) ------- ?

2. L'appétit vient en (manger) ------- .

3. Les lettres que nous avons (poster) ------- avant-hier ne sont pas
(arriver) ------- à temps.

4. Tout en (marcher) ------- il réfléchissait à ce qu'il allait dire.

5. Quelle couleur as-tu (choisir) ------- pour repeindre la cuisine?

6. (savoir) ------- qu'il était malade, nous lui avons téléphoné.

EN RELISANT LE TEXTE

Comparer dans le texte de J.-M. G. Le Clézio les trois conversations téléphoniques de Beaumont, la première avec Paule, la deuxième avec l'inconnu, la troisième avec la jeune fille; relever les expressions qui appartiennent à la langue standard et les expressions familières.

Gare du Nord. Xᵉ arrondissement.

ERIC HOLDER

Eric Holder est né en 1960, à Lille. Il est l'auteur de recueils de nouvelles : *Nouvelles du Nord* (Le Dilettante, 1984), *La Chinoise* (Le Dilettante, 1987), *Les petits bleus* (Le Dilettante, 1990), de romans : *Manfred ou l'hésitation* (Seuil, 1985) et *Duo Forte* (Grasset, 1989).

Dans "Intimité" et "Chez Jupiler" nous ne quittons pas un coin du Dixième arrondissement de Paris, quartiers sans arbres, "coincés entre deux gares", la Gare de l'Est et la Gare du Nord, faubourgs qui s'étendent jusqu'à des banlieues sillonées d'autoroutes. Éric Holder observe avec tendresse ses voisins, dans la rue, au comptoir des petits cafés; son regard poétique nous restitue un moment de la vie d'aujourd'hui.

INTIMITÉ *

J'habite, à peu de chose près, le même appartement que celui choisi par Jean Rouch pour tourner *Gare du Nord,* dans *Paris vu par...*

tourner : filmer

Paris vus par :
film "à sketches"

Bien qu'il ne donne pas, comme l'autre, sur la butte Montmartre, mon appartement surplombe des cinq étages où il est perché la rue du Faubourg-Saint-Denis et la rue Demarquay.

donner sur :
avoir vue sur

Au loin, et de ma cuisine, j'aperçois les premiers contreforts du faubourg Saint-Martin. On devine sous l'alignement de ses immeubles les voies de la gare de l'Est.

En soi, le faubourg Saint-Denis, dans cette partie comprise entre la "Chapouelle" et La Fayette, n'est pas vraiment une rue : c'est une sorte de grand village triste que sillonnent sans s'arrêter les voitures. Le Parisien qui veut rejoindre la rue Marx-Dormoy, puis l'autoroute du Nord, reluque nos boutiques avec cet œil vague et légèrement dédaigneux qui surplombera, cent kilomètres plus tard, les petits villages picards.

Chapouelle :
boulevard de la Chapelle
(X^e arrdt)

reluque *(familier)* : regarde

picards : de la Picardie

Nous ne pouvons nous défendre nous-mêmes d'une certaine admiration mêlée d'une pointe de convoitise envers le voyageur qui garera sa voiture — oh! cinq minutes!... — afin d'acheter du pain pour la route...

reclus : prisonniers volontaires

Dans ce coin précis du Xe, nous vivons un peu en reclus. Coincés entre deux gares, blasés d'incessants passages,

* *Nouvelles du Nord,* Le Dilettante, 1984.

rencontrant trop souvent des étrangers qui, à peine sortis des wagons, croient gagner Odéon en montant vers La Villette, quelque chose nous retranche des voyages. On dirait qu'à force d'arrivées nous craignons les départs.

Nous faisons volontiers dans le rêve. Et parfois, lorsque le vent prend le faubourg en enfilade, quand les volets des imprimeries à présent désertes claquent, quand la pluie lave en oblique l'ancienne suie des locos, on peut voir des autochtones songer, par-delà la barrière des immeubles, à la mer toute proche...

locos : locomotives

On accède à l'étage où j'habite par un escalier sans ambition; un peu vétuste, certes, mais propret. Des années de cire à bon marché ont donné à ses marches un poli rassurant. Cet escalier sent la grand-mère, la bignole soigneuse; sa rampe évoque, non sans un brin d'émotion, les mains de tous ces vieux qui ont crapahuté de palier en palier pour une demi-baguette et un peu de pâté.

propret : propre

bignole *(argot)* : concierge

crapahuter *(argot militaire)* : marcher longtemps

Un jour sur deux, on tend dans le vide dangereux qui succède à la rampe un système primitif de ficelle, au bout duquel pend un cabas. Je ne sais pas qui remplit le cabas. Quelques minutes plus tard, il remonte en valdinguant jusqu'à la vieille impotente du sixième.

cabas : sac à provisions

valdinguant *(familier)* : en se balançant

Mes voisins sont, à quelques exceptions près, aussi vénérables que l'immeuble. Ce n'est pas sans une certaine mélancolie que j'évoque qu'entre eux et moi il n'y a jamais qu'une différence d'étages.

Je mène, moi aussi, comme tout le monde, une lutte un peu désespérée contre l'âge. À ma manière. Dans le couloir de mon appartement. Dans les placards de l'entrée.

C'est là que j'enferme tout ce que je sais apparent chez mes voisins :

La pince multiple pour serrer le détendeur de gaz;

L'alcool qui désinfecte;

Des vis dépareillées;

Des bouts de ficelle qui sangleront un jour quelque chose;

Des boîtes de légumes en conserve;

Des ampoules électriques de rechange;

Scotch : marque de ruban adhésif

Un rouleau de Scotch;

Des chiffons sales;

Un ramasse-poussière;

Des médicaments contre le rhume;

inox : acier inoxydable

Deux ou trois produits qui nettoient l'inox, l'émail et font briller;

Une brosse à chaussures;

Un fer à repasser;

Une pompe à vélo...

Mais je ne me fais pas d'illusion. Je sais que, petit à petit, de jour en jour, ces objets sans beauté commenceront à traîner dans l'appartement. Un à un, tous ces petits matériaux quotidiens et affreusement indispensables gagneront une place sur la table, sur la commode — à portée de main.

absconse : difficile à comprendre

Quand ils seront tous là, arborant la littérature absconse de leurs étiquettes, ou dressés fièrement et prêts à fonctionner, quand ils auront mangé le vide qu'à présent je leur préfère, je saurai que j'aurai perdu.

Quand l'utile prédominera sur la beauté, je saurai, à
ce détail près, que j'aurai vieilli.

C'est de la fenêtre de ma cuisine qu'on peut voir la rue
Demarquay.

On ne saisit pas très bien, de prime abord, ce qui peut
rendre cette rue si tristement célèbre. Peu de commerces, à
peine deux bars, un centre évangéliste et un long mur cras-
seux qui dure tout au long d'un des trottoirs ne justifient pas
que, le soir, on se châtaigne gaillardement dans les vomissures.

se châtaigner *(familier)*:
se battre à coups de poing

Seul un miracle, donc, une sorte d'aura qui aurait dû
persuader les habitants du quartier de l'existence de la
magie, explique les hurlements et les bruits mats des coups
qui montent de la rue Demarquay quand la nuit tombe.

C'est la *Skid Row* de Goodis, l'endroit dont rêve à haute
voix la littérature policière. Il n'est pas interdit de dénom-
brer au petit matin, en compagnie des flics, les pare-brise
pétés et les étranges champignons que forment les dégueulis et les défécations d'ivrognes.

Goodis: David Goodis,
romancier des années 50

pétés *(familier)*: brisés

dégueulis: vomissures

On voit aussi, de mes hauteurs à tant le mois, l'épicerie
arabe, le Fauchon du quartier.

Fauchon: épicerie de luxe,
place de la Madeleine
(VIIIe arrdt.)

Je connais bien le jeune Tunisien qui la tient; c'est un
peu mon ami. Il fait crédit.

Je sais qu'il ne va jamais en vacances. Qu'on l'oblige,
malgré lui, à fermer un jour par semaine. Que ce même jour,
il ouvre à demi son store de fer.

Fourches caudines :
allusions au passage étroit,
en forme de fourche,
près de Caudium,
où les Romains durent
reconnaître leur défaite
en passant sous une pique
horizontale soutenue
par deux autres piques
plantées verticalement,
comme ici, le narrateur
se baissant pour passer sous
le rideau de fer, à demi-
ouvert, de l'épicerie
avoir : argent

le zinc : le comptoir

mômes *(familier)* : enfants

Fourches caudines sous lesquelles je dois passer, imptoya-blement, pour acheter mon gin au prix du champagne — moi qui suis toujours en vacances, lui qui n'en a jamais pris...

Ici, nous sommes tous tournés vers l'horizon loin-tain et industriel de la Belgique. Pas un panneau, pas une enseigne qui ne nous le rappelle : *Nord Alimentation, Nord Optique, Hôtel des Flandres, Le Rapide de Calais...* Seules échappées vers le soleil, persistent le *Bombay Bazar* et le *Nord-Sud*, ce bar où, non content de solder mon avoir, je lais-se aussi un peu de moi-même, un peu de ma mémoire, un peu de mon corps, et un peu de mon temps. Collés dans les bouteilles. Sous le zinc.

Le patron a quelque chose d'austère et de chétif. C'est un Napolitain. Il a aussi quelque chose comme sept ou huit mômes qui font le service.

Pourtant, tous les soirs, à neuf heures, il vide sans ménagement les Indiens des fabriques clandestines voisines. Ceux-ci vont se battre devant la cour des autobus de la gare du Nord. Je croyais, avant d'arriver ici, que les Indiens étaient un peuple doux.

Enfin, l'ultime avantage dont me fait jouir la posses-sion éphémère de cet appartement — et non le moindre — réside dans cette bignole qu'au même titre que les autres locataires j'ai le droit d'ennuyer. Ça devient rare, une bignole, à Paris.

La mienne suit le cours du soleil avec autant d'achar-nement qu'un prêtre dans l'Egypte des pharaons: chaque jour qui passe la voit sacrifier à mille rites ponctuels et précis. C'est à telle heure qu'investie du plus grand sérieux elle sortira les poubelles; c'est à telle autre qu'elle les lavera... Ainsi, un long cheminement, une sorte d'ascèse religieuse et secrète, trace le demi-cercle de ses journées, l'arc arrondi qui part de ces matins où elle se lève bourrée d'humour pour aboutir à ces soirs où elle se couche, bourrée tout court.

bourrée *(familier)* : ivre

Nous nous rencontrons souvent au *Nord-Sud*. Je lui paie un demi en faraudant.

demi : verre de bière

faraudant :
en faisant le malin

De jour en jour, je la cultive : elle finira par croire que je suis riche et sobre.

Or je suis pauvre et très dipsomane.
Dipsomane.

dipsomane *(terme médical)* :
qui abuse à l'occasion
de boissons alcoolisées

Éric HOLDER

ADJECTIFS ET PRONOMS INDÉFINIS

**Choisir un adjectif ou un pronom indéfini pour remplacer le mot manquant :
tous, chaque, quelqu'un, personne, rien, autre, tout, n'importe qui,
n'importe quoi, aucun.**

1. ------- a téléphoné pendant ton absence.

2. Elle croit que ------- ne l'aime.

3. Il lit le journal ------- les matins.

4. Que s'est-il passé? — Je n'ai ------- vu.

5. Nous sommes prêts à faire ------- pour vous tirer d'affaire.

6. Voulez-vous un autre café? — Oui, donnez-m'en un ------- .

7. Regardez, ce n'est pas difficile : ------- peut faire ce travail.

8. Avez-vous une suggestion à faire? — Non, je n'en ai ------- .

9. On aura ------- vu!

10. ------- fois que je l'appelle, son numéro sonne occupé.

Louvre/Rivoli. Ier arrondissement.

CHEZ JUPILER *

Lucien avait deux chiens et moi je n'en ai qu'un. On ne s'est pas rencontrés autrement qu'en promenant nos canins dans la même rue, souvent. Les siens allaient sans laisse (allitération), le mien en tirait une (liaison).

Il disait que c'était idiot de retenir les chiens. Je veux bien. Il a perdu les siens, et j'ai toujours le mien. On a continué à se voir.

Lucien n'est pas propre sur lui : moi non plus. Il se rase un jour par semaine : moi aussi. Parfois, et compte tenu de l'irrégularité chronique du procédé, il arrive que nous soyons pareillement salingues. L'occasion est bonne, alors, de critiquer ceux qui perdent leur temps dans la salle de bains.

salingues *(argot)* : sales

Lucien est modérément connu dans au moins deux bars. Le premier nous accueille l'hiver. Chez Jupiler — c'est ainsi qu'il se nomme —, on peut manger du couscous; c'est un effet de la délicatesse du patron que de nous offrir un pastis sur quatre, pastis qu'accompagnent des olives au piment. L'autre bar est dédié au printemps : nous n'y allons que lorsque les tables poussent sur le trottoir. Le café y a un goût d'orange, mais on peut déplorer qu'il soit servi dans des verres. Enfin, l'été, je ne sais pas où Lucien a ses aises. Il disparaît mystérieusement. J'en suis réduit à supposer qu'il a quitté la ville.

Chez Jupiler : du nom d'une marque de bière

pastis : alcool anisé, bu avec de l'eau

* *La Chinoise*, Le Dilettante, 1984.

Pourtant, Lucien ne voyage pas, il déteste ça. Pour qu'ailleurs l'attire, il faudrait qu'ailleurs il y ait encore Paris. La Gare de l'Est juchée sur le rivage d'îles lointaines, le Terminus-Nord encombré de Pygmées, le Topol planté de palmiers — voire! les Buttes-Chaumont loties de cases — feraient peut-être en sorte qu'il condescende à partir.

les Buttes-Chaumont :
parc de l'Est de Paris (XIXe)

loties de cases :
c'est-à-dire où des cases (africaines) ont été construites comme dans un lotissement

Cependant, Lucien n'aime plus vraiment Paris.

Lucien a l'air d'un Gitan. Ses cheveux sont noirs, longs et luisants, son menton est arrogant, ses yeux inquiètent. Accoudé au zinc, il semble toujours défier quelqu'un. Ses chemises laissent apparaître sa poitrine, et les passants de son pantalon arborent sempiternellement le même ceinturon, une vieille chose craquelée munie d'une boucle voyante. Il correspond, sur bien des points, à une idée précise que certains hommes se font de l'homme.

Quelquefois, le soir, Lucien prend une mine énigmatique. Il va parler de sexe. Ses histoires correspondent, sur bien des points, à une idée précise que certains hommes se font de la femme.

Lucien n'aime pas les livres, ou alors pas les miens. D'ailleurs, ceux que je lui prête, il ne me les rend jamais. Il est possible qu'il les revende.

Mais il adore les journaux, les bouts d'articles, les génériques, les réclames, les pancartes, les affichettes de clubs culturistes, les étiquettes, les listes, les inscriptions, les

culturistes :
de culture physique

graffitis, les dos d'emballages. On dirait qu'il prise tout particulièrement les déclarations de vedettes. Les signatures des

folliculaires *(littéraire)* : journalistes

plus anodins folliculaires paraissent également retenir toute son attention. D'une manière générale, rien ne le réjouit

à la solde de qui : qui est employé par qui

plus que de savoir qui est à la solde de qui. Affaire de stratégie dont Lucien seul sort vainqueur, s'il reconnaît d'aucun anonyme, depuis parvenu aux premières loges.

Car Lucien est au courant de tout. Reclus chez sa grand-mère, dont l'appartement surplombe le Jupiler, sub-

scabreux : d'allocations de chômage plus ou moins illégalement obtenues

sistant à coups de chômages scabreux, ne rencontrant plus que rarement ses amis, de surcroît devenu agoraphobe, il réalise pourtant le prodige de n'être jamais en retard d'une information. Semblable en cela aux indicateurs de romans

Chandler : romancier anglais, 20ᵉ siècle

noirs, au taximan de Chandler, au bouquiniste d'Echenoz. Lucien détient toujours le détail qui nous manquait.

Echenoz : romancier français contemporain

Bien qu'il refuse de citer ses sources, il est patent que celles-ci proviennent de la télévision, et notamment des émissions de l'après-midi. Lucien note les incartades, débusque les collaborateurs, déniche les acteurs obscurs, reconnaît ceux

florentin : chargé d'intrigues (par allusion à la ville de Florence, à l'époque de la Renaissance)

qui ont fait carrière, rend aux présentateurs, aux scénaristes, aux décorateurs, aux journalistes comme aux interviewés, un passé rien moins que florentin.

balais *(argot)* : ans
aval : supériorité
klon *(allitération)* : con

Les trente balais de Lucien lui donnent une sorte d'aval sur moi. Que j'aie un prénom moins klon que le sien n'arrange pas mon affaire. Souvent, il me dit qu'atteignant son âge je deviendrai infréquentable. Qu'il faut vite profiter de moi avant que je ne vire au liquide.

Juchée sur son tabouret de bar-trépied, drapée dans la fumée de sa Ducados, la pythie du Jupiler m'annonce un avenir de plouc. Je veux bien. Je reste un des derniers à le fréquenter. On a continué à se voir.

Quelquefois, en fin d'après-midi, une chape de silence tombe lentement sur le Jupiler. Les clients se taisent, Lucien aussi; les bruits du comptoir diminuent, le bistro essuie plus doucement ses verres. Dehors, un enfant passe, une portière de voiture claque, un chariot à provisions bringuebale sur le trottoir. Nous fixons, muets, un dernier rayon de soleil qui escalade le mur d'en face. Nous le suivons des yeux jusqu'à ce qu'il colore la gouttière; ce n'est pas sans regret que nous le voyons disparaître en direction du boulevard Magenta. On dirait qu'une sorte de recueillement, qu'une espèce de pitié, descend sur nous, qui sommes recroquevillés, comme attentifs au-dedans.

Alors, dans ces moments-là, Lucien n'est plus sale, son menton n'est plus agressif, ses yeux s'embuent. Il sent que l'observe, il se retourne, il me regarde. Pareil.

Éric HOLDER

Ducados :
marque de cigarette

plouc *(argot)* : paysan

bistro *(familier)* : le patron du bistro (bar, café)

bringuebale :
se balance

ADJECTIFS ET PRONOMS POSSESSIFS

I. Employer l'adjectif possessif ou l'article
le, la, l', les, selon le cas :

1. Lucien a un pansement à ------- main gauche; ------- menton est mal rasé.

2. Ils ont passé ------- après-midi à bavarder.

3. Depuis qu'elle a fait couper ------- cheveux, elle paraît plus jeune.

4. Le patron les regarde de ------- petits yeux noirs.

5. L'enfant a baissé ------- yeux; il a peur qu'on ne le gronde.

6. On lui demande de se taire; on ne lui permet pas d'ouvrir ------- bouche.

II. Remplacer les adjectifs possessifs et les noms auxquels ils se rapportent
par le pronom possessif convenable :

1. Ses chiens, -------
2. Mon chien, -------
3. Mes livres, -------
4. Ta ceinture, -------
5. Tes cigarettes, -------
6. Leur amitié, -------
7. Ses histoires, -------
8. Notre café, -------
9. Leurs amis, -------
10. Votre quartier, -------

Dans "Chez Jupiler" d'Éric Holder le portrait de "Lucien", l'ami du narrateur, est au présent de l'indicatif : en préciser la valeur.

TABLE DES MATIÈRES

LES ARRONDISSEMENTS DE PARIS

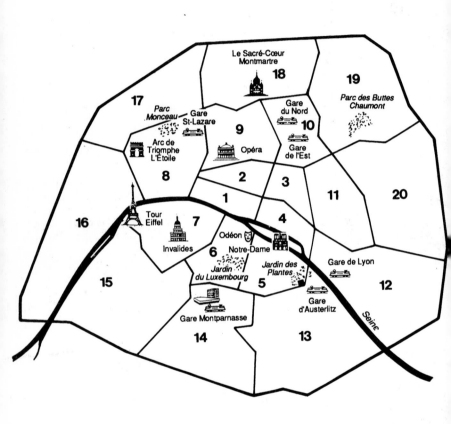

Le Sacré-Cœur
Montmartre **18**

19

Parc des Buttes
Chaumont

17

Parc
Monceau — Gare
St-Lazare

9

Gare
du Nord **10**

Arc de
Triomphe
L'Étoile

Opéra

Gare
de l'Est

8

2

3

1

11

20

Tour
Eiffel

7

4

16

Odéon

Invalides

6

Notre-Dame

Jardin
du Luxembourg

5

Jardin des
Plantes

Gare de Lyon

15

Gare Montparnasse

14

Gare
d'Austerlitz

13

12

Seine

Imprimerie Jean-Lamour
54320 Maxéville
Dépôt légal : juin 1992